FESTIVAL

Méthode de français 1
Cahier d'exercices

Anne Vergne-Sireys
Michèle Mahéo-Le Coadic
Sylvie Poisson-Quinton

CLE
INTERNATIONAL

Crédits photogaphiques :

6 ht g   © G. Fonlupt / CORBIS SYGMA
6 ht m   © S. Ortola / REA
6 ht d   © Ludovic / REA
6 m g   Ph. Jean-Loup Charmet © Archives Larbor
6 m   © J. D. Lorieux / CORBIS
6 m d   © Bettemann / CORBIS
6   © F. Cevallos / CORBIS SYGMA
6 m bg   © CORBIS SYGMA
6 m bd   Ph. Coll. Archives Larbor
6 bas d   Ph. P. Vals – Coll. Archives Larbor
12 ht g   © Photodisc
12 m hg   © H. Champollion / HOA-QUI
12 m bg   © architecte Pei / S. Grandadam / HOA-QUI
12 bas g © A. Wolf / HOA-QUI
12   © Photodisc
12 m d   © Photodisc
12 bas d © A. Morand-Grahame / HOA-QUI
18   © Harald A. Jahn / CORBIS
26 ht g   © A. Guerrier / SCOPE
27 ht d   © A. Morand-Grahame / HOA-QUI
27 bas   © F. Lechennet / SCOPE
33 ht   © J. E. Pasquier / RAPHO
33 bas   © P. Hahn / REA
39   © Colocation.fr
43   © IPS / PHOTONONSTOP
54   © N. Tavernier / REA
58   © M. Gaillard / REA
69 g   © P. Parrot / REA
69 d   © N. Hautemanière / SCOPE
69 bas   © Lallemand / WALLIS
75   © Facelly / SIPA PRESS
78   © J. L. Pelaez, Inc / CORBIS

Direction éditoriale : Michèle GRANDMANGIN
Édition : Christine LIGONIE
Conception graphique, couverture : Anne-Danielle NANAME
Mise en pages : ALINÉA
Recherche iconographique : Nathalie LASSERRE
Illustrations : BODZ
Cartographie : GRAFFITO

© CLE International / Sejer 2005 – ISBN 2 09 035 321 x

Avant-propos

Ce cahier d'exercices propose des activités complémentaires correspondant à la leçon 0 et aux 24 leçons regroupées en 6 unités de Festival.

Ces activités permettent de travailler la compréhension et la production orales et écrites, ainsi qu'un approfondissement des points de civilisation vus dans le manuel.

Chaque leçon comporte quatre rubriques.

• **Vocabulaire** : les exercices proposés reprennent le vocabulaire « actif » correspondant à la leçon utilisée ainsi que celui des leçons de l'unité.

• **Grammaire** : les notions travaillées dans la leçon sont approfondies dans cette rubrique.

• **Phonétique, rythme et intonation** : cette rubrique propose très souvent, entre autres, des exercices de discrimination phonétique.

• **Civilisation** : un aspect lié à la thématique de la leçon est repris sous forme d'exercices d'écoute ou d'analyse de documents.

On trouve également à la fin de ce cahier une dizaine de pages proposant des exercices de vocabulaire regroupés de façon thématique. Ils permettent à la fois de réutiliser le lexique travaillé dans différentes leçons et de l'enrichir. Nous conseillons donc aux apprenants de ne faire ces exercices qu'à partir de l'unité 6 du livre de l'élève.

Ce cahier peut être utilisé en classe mais l'apprenant peut également l'utiliser, ainsi que le CD audio, en auto-apprentissage, la correction de tous les exercices figurant dans un livret séparé ainsi que la transcription des enregistrements.

leçon

0

Le français,
les Français, la France

LA FRANCE

1 **Replacez les villes suivantes sur la carte.**
Bordeaux – Lille – Rennes – Paris – Clermont-Ferrand –
Strasbourg – Nantes – Lyon – Toulouse – Poitiers

2 Associez le dessin à une région comme dans l'exemple.

Régions : Normandie – Bourgogne – Alsace – Centre-Pays de la Loire – Rhône-Alpes – Midi-Pyrénées – Champagne-Ardenne

Il y a du champagne : **Champagne-Ardenne**

Il y a des châteaux : *Centre-Pays de la Loire*   Il y a du camembert : *Normandie*

On fait du ski : ~~Alsace~~ *Rhône-Alpes*   Il y a du bon vin : *Bourgogne*

Il y a le Parlement européen : *Alsace*   Il y a des avions : *Midi-Pyrenees*

3 Barrez l'intrus comme dans l'exemple.

Seine – Rhône – ~~Alsace~~ – Loire

Région a. ~~Garonne~~ – Aquitaine – Picardie – Normandie
   b. Paris – Bordeaux – Strasbourg – ~~Bretagne~~
Rivère c. Rhin – ~~Garonne~~ – Saône – ~~Bourgogne~~

d. Poitiers – ~~Nantes~~ – Loire – Rennes
e. ~~Lille~~ – Auvergne – Bourgogne – Rhône-Alpes

Rivière

Rivière

LES NOMBRES

4 Entourez les nombres que vous entendez.

⓪ 1 2 ③ 4 ⑤ 6 7 ⑧ 9 ⑩ ⑪ 12 13 ⑭ 15 16 17 18 ⑲ 20

5  Écoutez et écrivez les résultats des matchs de rugby.

Bordeaux-Biarritz : 15-11

Bourgoin-Jallieu-Agen : 17-13   Stade français (Paris)-Castres : 9—14

Toulouse-Dax : 7-18   Tarbes-Bayonne : 16-12

6 **Écrivez en lettres.**

13 : treize

6 : Six

9 : neuf

2 : deux

0 : zéro

17 : dix-sept

12 : douze

16 : seize

7 **Complétez avec des nombres.**

```
              S E P T
              E
      C       I
      I     Z É R O
  U   N     E       N
  Q U I N Z E       Z
          E         E
      D E U X
          F
```

LES PERSONNES

8 **Complétez avec un prénom.**
Hommes : Charles – Victor – Jacques – Gérard – Zinédine
Femmes : Colette – Marie-José – Jeanne – Édith – Isabelle

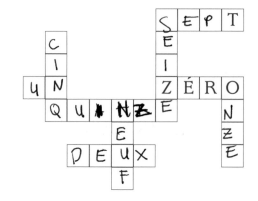

(football) Zinédine Zidane

track Marie-José Pérec

politician Jacques Chirac

Jeanne d'Arc

singer Charles Aznavour

singer Édith Piaf

actor film maker Gérard Depardieu
Green card

Isabelle Adjani
actress

Victor Hugo

Colette writer

Je m'appelle Élise. Et vous?

Vocabulaire

1 🎧 **Entourez les mots que vous entendez.**

1. allô – vous – monsieur – ici – c'est – mademoiselle.

2. allô – bonjour – c'est – et vous? – ça va?

3. bonjour – Je m'appelle – Nice – français – et vous?

4. je suis – j'habite – Tiens! – ça va? – c'est.

5. c'est moi – professeur – étudiant – Oui – Allô – Ah bon!

6. Vous êtes – canadien – je m'appelle – j'habite – pour – français.

2 **Complétez avec les mots proposés.**

1. Ça va – Très bien – Allô – et vous?

  – *Allô* Pierre? C'est Victor _Ca va_ ?

  – Bien, _et vous_ ?

  – _Très bien_, merci.

2. français – Je – c'est – italienne

  – _Je_ m'appelle Anna. Anna Margabadi. Je suis _italienne_ Et vous?

  – Moi, _c'est_ Philippe Candreau. Je suis _français_.

3. Moi – je – j'– à – professeur

  – Je suis architecte et _j'_ habite à Toulouse.

  – Tiens! _Moi_ aussi j'habite _à_ Toulouse. Mais _je_ suis _professeur_

3 **Reliez.**

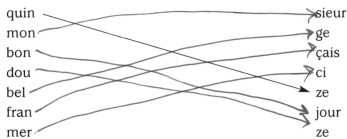

quin —————————→ sieur

mon ———→ ge

bon ———→ çais

dou ———→ ci

bel ———→ ze

fran ———→ jour

mer ——— ze

Grammaire

4 **Faites comme dans l'exemple.**

Gambléri / Romane / Lille / française

Je m'appelle Romane Gambléri ; j'habite à Lille, je suis française.

Gourane / Issam / Nantes / français

Je m'appelle _____ ; j'ha _____

Dalder / Robert / Paris / belge

Je m'appelle Robert ~~belge~~ Dalder ; j'habite à paris, je suis belge

Garodime / Elsa / Montréal / canadienne

Elsa Gerodime ; j'habite Montreal, je suis Canadienne

5 **Remettez les phrases en ordre.**

*Marseille. – J'– à – habite → **J'habite à Marseille.***

1. Vous, – canadienne ? – êtes – vous →
Vous êtes

2. va – bien, – Ça – très – merci. – vous ? – Et →
Cava tres bien. merci et vous?

3. Théo ? – Thomas. – est – Allô – C' →   (Toma)
Allô théo ? c'est thomas.

4. j'– à – Moi, – habite – Paris. →
moi, J'habite à Paris

5. ? – Nantes – Vous – à – habitez →
Vous habitez à Nantes ?

Phonétique, rythme et intonation

6 🎧 **Écoutez et barrez les lettres qu'on n'entend pas.**

vous – étudiante – trois – étudiant – je m'appelle – sept – je suis – belge – madame – douze

Civilisation

7 **Reliez le sigle et le dessin.**

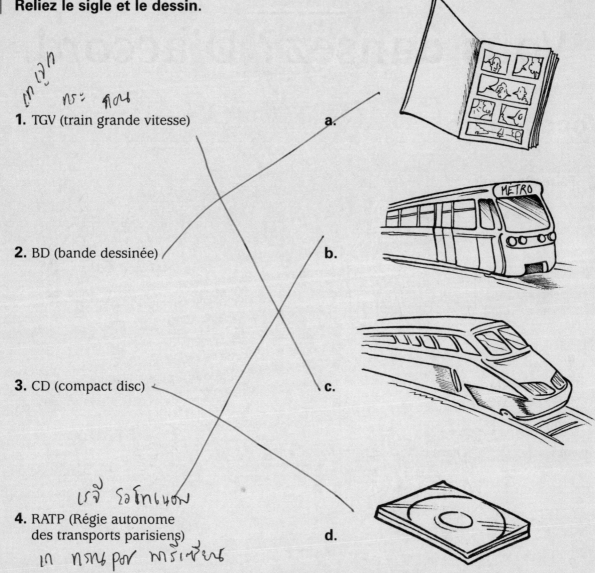

1. TGV (train grande vitesse)   a.

2. BD (bande dessinée)   b.

3. CD (compact disc)   c.

4. RATP (Régie autonome
     des transports parisiens)   d.

8 **Fille ou garçon ? Classez les prénoms dans deux colonnes.**

Alexandre – Joël – Louise – Alexandra – Lucienne – Martin – Antoine –
Lucien – Joëlle – Louis – Antoinette – Martine

fille	garçon
Alexandra	*Alexandre*
Joëlle	Joël
Louise	Louis
Lucienne	Lucien
Martine	Martin
Antoinette	Antoine

Vous dansez? D'accord.

Vocabulaire

1 **Faites-les parler.**

a. – *Vous dansez?*

– Oui, d'accord.

b. – Aïe!

– *oh Pardon! Je suis désolée.*

c. – *Vous vous appelez comment?*

– Je m'appelle Marie.

d. – *Bonjour! Comment ça va?*

– Très bien, merci. Et vous?

ça va?

Et toi?

formal *informal*

décide → vous → tu

2 **Vous êtes musicien (musicienne)? Reliez.**

a.

b.

c.

Où

1. un piano

2. une guitare

3. un accordéon

4. un violon

5. une batterie

6. une trompette

d.

e.

f.

CD = 300k

Grammaire

ending er verb

3 **Complétez.**

1. – Vous dans*ez* bien !

– Merci. Vous aussi.

2. – Je m'appell*e* Eva. Et vous, comment vous vous appel*lez* ?

– Arthur.

3. – Vous parl*ez* anglais ?

– Oui, je parl*e* aussi espagnol.

4. – Vous êt*es* suisse ?

– Oui, j'habit*e* à Genève.

4 **Complétez avec *parler, être, s'appeler* ou *habiter*.** *conjugate*

1. – Vous *êtes* italienne ?

– Oui, j'*habite* à Venise. *suis*

2. – Je *m'appelle* Pétra, je ~~suis~~ allemande et je *parle* allemand, français et anglais.

3. – Vous *êtes* français ?

– Non, je *suis* anglais, mais j'*habite* à Bordeaux.

4. – Vous *parlez* français ?

– Français, anglais, espagnol. Et vous ?

– Moi, je *parle* français et allemand.

5 **Complétez avec *je, j', moi* ou *vous*.**

1. – *Moi*, *je* suis canadien. Et *vous* ?

– *Moi*, *je* suis française.

2. – *vous* *vous* appelez comment ?

– *moi* ?

– Oui, *vous*

– *moi*, c'est Hélène. Et *vous* ?

– Franck.

3. – *J'* habite à Paris, dans le 1er arrondissement.

– Tiens ! *moi* aussi ! J'habite rue du Louvre. Et *vous* ?

– *moi*, rue Sauval.

Civilisation

6 **Trouvez le nom des monuments.**

Notre-Dame de Paris – la tour Eiffel – l'Arc de triomphe – le musée du Louvre –
le musée d'Orsay – le Palais omnisport de Bercy – la Géode (la Villette)

a. *L'Arc de triomphe*

b. La Géode

c. la tour Eiffel
מגדל

d. le musée du louvre

e. Notre-Dame de Paris

f. le musée d'orsay

g. Le Palais omnisport de Bercy

Monica, Yukiko et compagnie

Vocabulaire

1 **Reliez.**

a.

b.

c.

1. la danse

2. l'équitation

3. le ski

4. le tennis

5. la natation

6. la planche à voile

d.

e.

f.

2 **Complétez avec des noms de couleurs.**

R

3 **Complétez comme dans l'exemple.**

a. *Capucine aime le sport.*

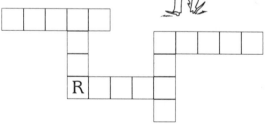

b. Karim aime ....

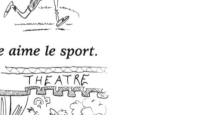

c. Clémence aime ....

d. Alban aime ....

Grammaire

4 **Complétez.**

infinitif	....	*aimer*	....	....	....
je / j'	*je suis*	....	*adore*	....	
il / elle	....	....	....	....	*s'appelle*
vous	....	....	....	*parlez*	....

5 **Complétez avec** *être, habiter, danser, parler* **ou** *aimer.*

– Léa **parle** *espagnol? – Non, anglais et italien.*

1. Michel .... musicien et il .... beaucoup le tennis.

2. – Vous .... très bien !

– Merci. J'.................... beaucoup le tango.

3. – Moi, c'.................... Romain. Je .... grand, brun et j'.................... à Strasbourg.

4. – Vous .... finlandaise ?

– Non, moi je .... norvégienne. Mais Érica .... finlandaise.

6 **Complétez avec** *il* **ou** *elle.*

1. .... habite seule.   **3.** .... est très différent.   **5.** .... est norvégien.

2. .... est petite.   **4.** .... est anglaise.   **6.** .... est canadienne.

7 **Mettez au masculin ou au féminin comme dans l'exemple.**

Karine est brune et Mathieu… → *Karine est brune et Mathieu est brun aussi.*

1. Nina habite seule et Théo… → ....

2. Steven est anglais et Shirley… → ....

3. L'ordinateur est moderne et la télévision… → ....

4. Sophie est suisse et Nicolas… → ....

5. Claire est étudiante et Éric… → ....

6. Luigi est italien et Carla… → ....

Phonétique, rythme et intonation

8 🎧 **Écoutez et dites si les phrases sont interrogatives (?) ou déclaratives (.).**

phrase interrogative (?)	✔				
phrase déclarative (.)					

Civilisation

9 **Complétez.**

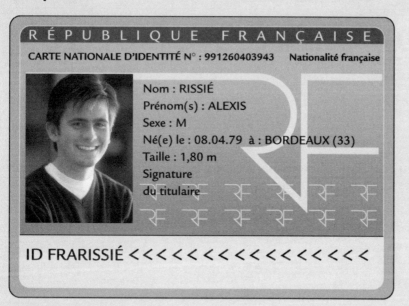

Adresse : 32 RUE DE BOIS
          VERNEUIL-EN-HALATTE (60)

Carte valable jusqu'au : 27.07.2009

Délivré le : 28.07.1999
par : SOUS-PRÉFECTURE DE SENLIS (60)

Signature de l'autorité : LA SECRÉTAIRE ADMINISTRATIVE
                          DÉLÉGUÉE

Sur une carte d'identité française, il y a le **numéro de carte,** le **nom**...

Les voisins de Sophie

Vocabulaire

1 **Reliez les contraires comme dans l'exemple (vous pouvez utiliser le dictionnaire).**

1. moderne   **a.** reposant

2. petit   **b.** ravi

3. gratuit   **c.** grand

4. fatigant   **d.** ancien

5. désolé   **e.** payant

2 **Complétez avec les mots suivants (vous pouvez utiliser le dictionnaire).**

1. les cheveux – **2.** le menton – **3.** le nez – **4.** la bouche – **5.** les yeux

a. ....

b. ....

c. ....

d. ....

e. ....

Grammaire

3 **Complétez avec les pronoms personnels** *je, j', tu, il, vous* **ou** *ils.*

J'(ou Il) habite à Bordeaux.

.... travaillent à l'université.

.... ont des chats.

.... venez au théâtre ?

.... (ou ....) sais parler anglais.

.... ai les yeux noirs.

.... aimes le théâtre ?

.... travaillez beaucoup.

.... danses avec moi ?

.... vas au cinéma ?

4 Mettez au pluriel ou au singulier.

*le nouveau voisin → **les nouveaux voisins***

1. les architectes français → ....

2. l'exposition gratuite → ....

3. le petit chat → ....

4. les musiciens finlandais → ....

5. le grand professeur japonais → ....

5 Complétez le tableau.

infinitif	*savoir*	....	*aller*	*chercher*
je	....	....	....	....
tu	*sais*	....	*vas*	*cherches*
il / elle	....	*travaille*	....	....
vous	*savez*	....	*allez*	*cherchez*
ils / elles	....	*travaillent*	....	....

6 Reliez.

1. Lui,   **a.** tu vas ?

2. Vous vous appelez comment,   **b.** elle.

3. Moi,   **c.** c'est Luc.

4. Je suis française et Linda est allemande,   **d.** vous ?

5. Et toi, comment   **e.** je parle français, russe et italien.

7 Remettez les phrases en ordre.

1. Léa – blonds. – et – est – elle – cheveux – a – les – grande

....

....

2. Marc – cuisine – la – adore – opéra – japonaise – l'– et – italien.

....

....

3. La – suisse. – est – musicien – et – canadienne – le – est – musicienne

....

....

Phonétique, rythme et intonation

8 🎧 Écoutez et cochez la bonne réponse.

	1	2	3	4	5	6
avoir (ils/elles ont)						
être (ils/elles sont)	✔					

Civilisation

9 🎧 Écoutez et écrivez le numéro des stations de radio par ordre d'apparition.

❑ Nostalgie   ❑ RTL   ❑ Fun Radio
❑ France Inter   ❑ Skyrock   ❑ France Musique
❑ NRJ   ❑ Europe 1   ❑ Sud Radio

10 🎧 Écoutez et lisez le texte puis cochez la bonne réponse.

En France, il y a des radios nationales publiques et des radios nationales privées. RTL est la station de radio n° 1. C'est une radio nationale privée. La station NRJ est n° 2 ; c'est aussi une radio nationale privée. France Inter est la station n° 3. C'est une station nationale publique. Elle fait partie du groupe Radio France. Le groupe Radio France, c'est 52 stations, quatre orchestres et la Maison de la Radio ; il est né le 1er janvier 1975. 595 journalistes travaillent à Radio France. Il y a 61 studios dans la Maison de Radio France. Les principales stations de Radio France sont : France Inter, France Musique, France Culture, France Info, FIP. La Maison de Radio France est à Paris.

	Vrai	Faux
1. RTL est une radio nationale privée.	❑	❑
2. Radio France est une radio nationale publique.	❑	❑
3. 595 journalistes travaillent à RTL.	❑	❑
4. La Maison de Radio France est à Paris.	❑	❑
5. FIP est une radio nationale privée.	❑	❑

Tu vas au Luxembourg?

Vocabulaire

1 **Complétez et mettez les mots dans la grille.**

1. Aujourd'hui, c'est le 17 et .... c'est le 18.

2. En France, l'école est ....

3. Il est blond, elle est brune ; ils sont ....

4. Mélina est la nouvelle ....

5. Ça ne va pas, je suis ....

6. Il habite à Athènes ; il est ....

2 **Retrouvez dix verbes.**

A	K	M	A	D	O	R	E	R	T	E	Z	T	E	R
V	E	N	I	R	L	L	V	R	R	A	R	I	R	C
O	T	A	R	E	R	I	H	V	A	I	Z	E	T	H
I	V	I	N	D	R	A	I	T	V	O	A	G	F	E
R	C	H	E	A	C	H	E	R	A	P	P	A	A	R
T	R	A	V	N	R	S	U	A	I	L	I	R	I	C
V	E	I	A	S	Y	B	Q	A	L	L	E	R	R	H
A	G	M	I	E	A	C	X	L	L	E	R	U	E	E
H	A	E	E	R	A	V	O	G	E	N	R	J	S	R
T	R	R	V	S	A	V	O	I	R	V	E	N	I	D

Grammaire

3 **Mettez les phrases au masculin ou au féminin.**

Lui, il s'appelle Stéphane, c'est un chanteur canadien, il est grand, brun et très gentil.

Elle, elle s'appelle Stéphanie, c'est une chanteuse ....

....

Elle, c'est Caroline. C'est la nouvelle directrice, elle est belge. C'est une femme petite et blonde, très belle ; elle habite seule.

...................., *c'est Paul* ....

....

4 **Complétez avec** *aller* **ou** *venir.*

Je vais au cinéma demain.

1. – Tu .... de Madrid ?

   – Oui.

2. – Vous .... du théâtre ?

   – Non, nous .... à l'opéra.

3. Laure .... à la cafétéria.

4. Thibaut .... de la bibliothèque.

5. – Tu .... à l'université aujourd'hui ?

   – Non, demain.

6. – Tu .... où ?

   – Au laboratoire.

5 **Complétez avec** *à, à la, à l', au, de, du, de la* **ou** *de l'.*

Marc vient du laboratoire.

1. Sophie habite .... Athènes.

2. Je viens .... expo.

3. Julie va .... cinéma.

4. Vous êtes .... université.

5. Tu viens .... France.

Phonétique, rythme et intonation

6 🎧 **Écoutez et séparez les groupes de rythme par des barres et indiquez le nombre de syllabes par groupe, comme dans l'exemple.**

Elle s'appelle Lucie → *elle s'appelle / Lucie.*
       1   2 3 / 1 2

1. L'examen est demain. → ....

....

2. Il adore le théâtre ! → ....

....

3. C'est vous, Abdel ? → ....

....

4. Elle cherche Monica. → ....

....

5. Je cherche la bibliothèque. → ....

....

Civilisation

7 **Regardez les documents et remplissez le tableau.**

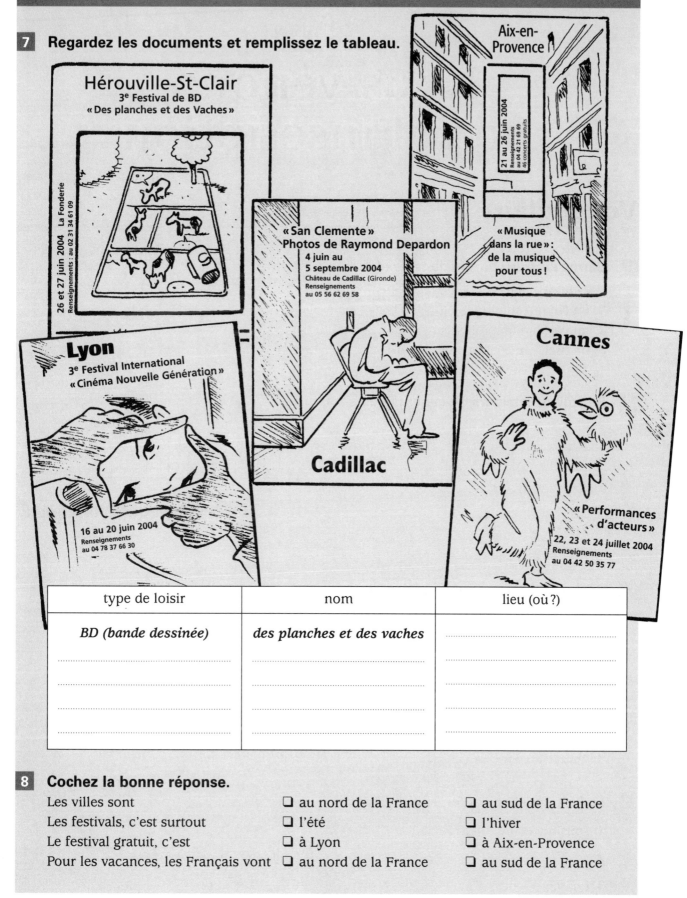

Hérouville-St-Clair
3e Festival de BD
«Des planches et des Vaches»

26 et 27 juin 2004   La Fonderie
Renseignements : au 02 31 34 61 09

Aix-en-Provence

21 au 26 juin 2004
Renseignements
au 04 42 21 69 69
46 concerts gratuits

«San Clemente»
Photos de Raymond Depardon
4 juin au
5 septembre 2004
Château de Cadillac (Gironde)
Renseignements
au 05 56 62 69 58

«Musique
dans la rue»:
de la musique
pour tous!

Lyon
3e Festival International
«Cinéma Nouvelle Génération»

16 au 20 juin 2004
Renseignements
au 04 78 37 66 30

Cadillac

Cannes

«Performances
d'acteurs»
22, 23 et 24 juillet 2004
Renseignements
au 04 42 50 35 77

type de loisir	nom	lieu (où?)
BD (bande dessinée)	*des planches et des vaches*	

8 **Cochez la bonne réponse.**

Les villes sont ❑ au nord de la France ❑ au sud de la France
Les festivals, c'est surtout ❑ l'été ❑ l'hiver
Le festival gratuit, c'est ❑ à Lyon ❑ à Aix-en-Provence
Pour les vacances, les Français vont ❑ au nord de la France ❑ au sud de la France

Nous venons pour l'inscription

Vocabulaire

1 **Barrez l'intrus comme dans l'exemple.**

une année – une heure – un jour – ~~une voisine~~

1. un cours – un professeur – un chat – une salle

2. un voisin – un professeur – un bus – un étudiant

3. un tiret – une lettre – un e-mail – un point

2 **Retrouvez les jours de la semaine.**

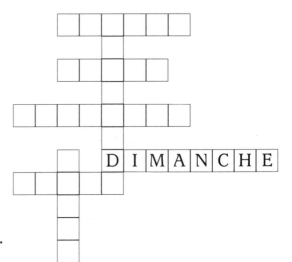

3 **Replacez les mots suivants dans les phrases.**

étage – ouverte – gentille – dans – premier

1. La crèche est .... à 7 h 30.

2. L'............................ zéro, c'est le rez-de-chaussée.

3. Le cours d'informatique, c'est .... la salle 038.

4. Linda, c'est une amie ; elle est très ....

5. Le .... cours commence à 9 h 30.

4 **Écrivez en lettres ou en chiffres.**

1. soixante et un : ....

2. 34 : ....

3. quarante-sept : ....

4. 28 : ....

5. cinquante-neuf : ....

6. 33 : ....

Grammaire

5 **Conjuguez les verbes.**

1. – *Vous* (être) **êtes** *français ou belges?*

– Nous *(être)* .... français, mais nous *(habiter)* .... à Bruxelles.

2. – Vous *(venir)* .... avec nous?

– Non, nous *(aller)* .... au cinéma avec Lucie et Mathias.

3. – Vous *(regarder)* .... un film?

– Non, nous *(travailler)* ...., nous *(avoir)* .... un examen lundi.

4. – Vous *(aimer)* .... la cuisine française?

– Nous *(adorer)* .... la cuisine française!

6 **Remettez les phrases en ordre, comme dans l'exemple.**

? – sports – tu – Quels – fais → ***Quels sports tu fais?***

1. quelle – à – la – heure – bibliothèque – à – vas – Tu –?

....

2. étage – habitez –? – à – Vous – quel

....

3. Tu – quels – travailles –? – jours

....

4. beaucoup – danses – aimez -? – Quelles – vous

....

5. cherchez –? – rue – Vous – quelle

....

7 **Mettez les mots suivants au singulier ou au pluriel.**

des universités → ***une université***

1. une inscription → ....   **3.** des chats → ....

2. des professeurs → ....   **4.** des jours → ....

8 **Complétez avec un article défini** *(le, la, l', les)* **ou un article indéfini** *(un, une, des)*.

Clémence a vingt et un ans. C'est *une* grande jeune fille brune. Elle est étudiante en informatique. Elle va à .... université .... lundi, ... jeudi et .... vendredi. Elle travaille dans .... cinéma .... mardi et .... mercredi. .... cinéma s'appelle l'Univers. C'est .... petit cinéma. Elle habite à Paris dans .... 18e arrondissement avec .... amis. .... amis de Clémence s'appellent Hugo, Vincent et Stéphanie.

Phonétique, rythme et intonation

9 🎧 **Écoutez et cochez la bonne réponse.**

	1	2	3	4	5	6
masculin						
féminin						

10 🎧 **Écoutez et répétez.**

Béa – Érica – Hervé – Emma – Théo – Hélène – Dédé

B.A.   R.I.K.   R.V.   M.A.   T.O.   L.N.   D.D.

11 **Trouvez la phrase comme dans l'exemple.**

D.D.M.B.A. = *Dédé aime Béa.*

L.N.M.R.V. = ...

R.I.K.M.T.O. = ...

D.D.M.M.A. = ...

Civilisation

12 **Complétez.**

1. C'est le premier jour d'école.

C'est la ....

2. C'est la dernière année du lycée.

C'est la ....

3. C'est une école qui n'est pas obligatoire.

C'est l'école ....

4. C'est l'examen à la fin du lycée.

C'est le ....

5. Elle commence en septembre et elle finit en juin.

C'est l' ....

À vélo, en train, en avion

Vocabulaire

1 **Reliez.**

 a.

 b.

 c.

 d.

1. le bus

2. la voiture

3. le train

4. le vélo

5. le métro

6. la moto

7. le bateau

8. le taxi

 e.

 f.

 g.

 h.

2 **Remettez les lettres en ordre et retrouvez les verbes.**

mroidr → *dormir*

a. hagcnre → ....

b. tstredée → ....

c. iolvuor → ....

d. virreen → ....

e. pérferré → ....

Grammaire

3 **Complétez le tableau.**

infinitif	*partir*	....	*prendre*	*acheter*
je	....	....	*prends*	....
tu	....	*peux*	....	....
il / elle / on	*part*	....	....	....
nous	....	....	....	*achetons*
vous	*partez*	....	*prenez*	....
ils / elles	....	*peuvent*	....	....

4 **Entourez la bonne réponse comme dans l'exemple.**

Cyrielle habite (au) *– en – du Portugal.*

1. Benoît vient de – d'– au Belgique

2. Vous travaillez d'– au – en Espagne.

3. Victor est du – aux – en États-Unis.

4. Nous revenons bientôt en – au – des Bahamas.

5. Ils viennent de – du – d' Mexique.

5 **Reliez.**

1. D'où venez-vous ?

2. Où partez-vous ?

3. D'où revient Marc ?

4. Où es-tu ?

5. Où habite Michèle ?

a. Elle habite en Allemagne.

b. Des Pays-Bas

c. Je viens du Japon.

d. Au Luxembourg.

e. Je suis aux États-Unis.

6 **Répondez aux questions comme dans l'exemple.**

– D'où viens-tu ? (Irlande) → *– Je viens d'Irlande.*

1. Où est Bastien ? *(Japon)* → – ....

2. Où allez-vous ? *(Italie)* → – ....

3. D'où reviennent Arthur et Margot ? *(Suisse)* → – ....

4. Où habites-tu ? *(Philippines)* → – ....

5. D'où venez-vous ? *(Maroc)* → – ....

7 **Complétez avec** *qu'est-ce que (qu')* **ou** *est-ce que (qu')*.

1. – .... Coralie vient avec nous au théâtre ?

– Non. Elle ne veut pas.

2. – .... tu fais demain ?

– Je vais à la gare du Nord : j'achète les billets pour Londres.

3. – .... vous voulez ?

– Un café s'il vous plaît.

4. – .... il y a un cinéma ici ?

– Oui, en face.

Phonétique, rythme et intonation

8 **Réduisez le nombre de syllabes comme dans l'exemple.**

au cinéma → *au ciné*

1. la cafétéria → ....

2. au laboratoire → ....

3. au restaurant → ....

4. un examen → ....

5. une photographie → ....

Civilisation

9 🎧 **Écoutez et lisez le texte suivant. Ensuite répondez aux questions.**

La Bretagne

C'est une région à l'ouest de la France. Les habitants de la Bretagne sont les Bretons. Les activités économiques sont la pêche, l'agriculture et l'élevage; il y a des industries (automobile, télécommunication) à Rennes. C'est aussi une région touristique; il y a un festival international de musique au mois d'août à Lorient: le festival interceltique. Rennes est la capitale de la Bretagne. C'est une jolie ville universitaire avec une cathédrale, des musées, de vieilles rues et de vieilles maisons.

1. Regardez une carte de France. Où est la Bretagne ? ....

2. Quelle est la capitale de la Bretagne ? ....

3. À votre avis, la Bretagne est une région riche ? ....

4. L'été, les Français aiment aller en Bretagne ? ....

5. Qu'est-ce qu'il y a à Rennes ? ....

Pardon monsieur, le BHV s'il vous plaît ?

Vocabulaire

1 **Entourez les verbes qui conviennent.**

1. – Pardon, madame, pour aller au Bon Marché s'il vous plaît ?

– D'abord vous *traversez – tournez – changez – prenez* à gauche ; ensuite vous *marchez – tournez – pouvez – allez* tout droit et vous *traversez – arrivez – continuez – vous trouvez* au Bon Marché.

– Au revoir, merci.

2. Je *me trouve – traverse – suis – cherche* rue de Rivoli et je *prends – me trouve – cherche – suis* la rue du Louvre.

2 🎧 **Écoutez les indications et dessinez sur le plan le chemin indiqué. Indiquez sur le plan la rue Jean-Jaurès et la rue du général-de-Gaulle.**

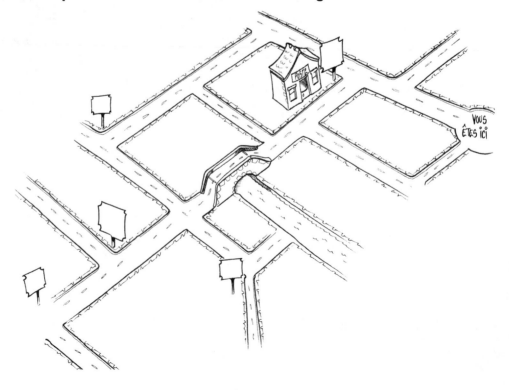

Grammaire

3 **Soulignez les verbes à l'impératif et donnez leur infinitif.**

va → aller

1. .... → .... **3.** .... → ....

2. .... → .... **4.** .... → ....

Lucas,
J'ai beaucoup de travail aujourd'hui et je reviens à
20 heures. S'il te plaît, va à la gare, achète les billets
de l'Eurostar pour Londres. Parle aussi avec Marc et
Céline pour le déjeuner de demain. Et si tu peux, fais
la cuisine.
Merci.
Bonne journée, travaille bien. Je t'embrasse.
Sophia

4 **Regardez le plan et indiquez à l'étudiant le chemin pour aller à l'université. Utilisez** *prendre* **(2),** *continuer* **(1),** *continuer par* **(1),** *tourner* **(1),** *marcher* **(1),** *traverser* **(1),** *aller* **(1),** *tout droit* **(3),** *à gauche* **(1),** *à droite* **(1),** *jusqu'à* **(2),** *après* **(1).**

«D'ici, ce n'est pas loin. Prenez

la rue Pasteur, ...

....

....

....

....

....

....

vous arrivez à l'université.»

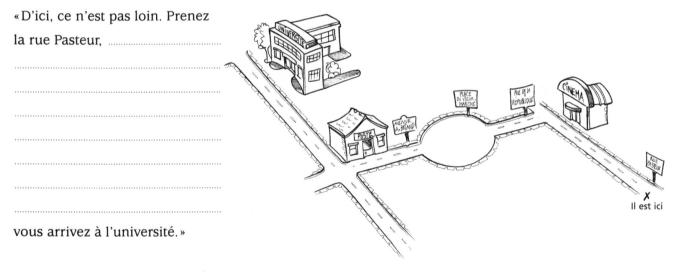

5 **Répondez avec des phrases négatives comme dans l'exemple.**

– Vous aimez la danse? (Non, le foot) → *Non, je n'aime pas la danse, j'aime le foot.*

1. – Laura part au Mexique? *(Non, en Argentine)* → – ....

2. – Léo est à Strasbourg? *(Non, à Grenoble)* → – ....

3. – Tu habites à Nice? *(Non, à Toulouse)* → – ....

4. – Pierre et Pascale viennent chez toi aujourd'hui? *(Non, demain)* → – ....

5. – Vous prenez le métro? *(Non, le bus)* → – ....

6. – Les voisins ont trois chats? *(Non, quatre)* → – ....

Civilisation

6 **Regardez le document et répondez aux questions.**

1. Qu'est-ce qu'il y aura à Paris en 2006 ?

....

2. Quelles sont les deux directions de la ligne de tramway ?

....

3. On dit tramway ou ....

4. L'État, la région Île-de-France et la RATP paient le tramway. Qui paie encore ?

....

5. Selon vous, il y a des tramways dans beaucoup de villes françaises ?

....

6. À votre avis, le tramway dans les villes françaises, c'est ancien ou moderne ?

....

7. Pour vous, un tram, ça change quoi dans la ville ?

• Le bruit ? ....

• La pollution ? ....

• Le nombre de voitures ? ....

8. Vous habitez dans la région Île-de-France. Pour aller à Paris, vous prenez la voiture ou le tramway ?

....

UN TRAM, ÇA CHANGE LA VILLE

Des travaux sont aujourd'hui en cours et s'achèveront en 2006 pour permettre la mise en service d'une ligne de tramway entre le Pont du Garigliano et la Porte d'Ivry. Ainsi, les Franciliens disposeront d'un nouveau mode de déplacement moderne et performant sur les boulevards des Maréchaux.

UN TRAM POUR TOUS

INFORMATION TRAMWAY	INFORMATION MAIRIE	INFORMATION RATP
01 42 76 86 10	08 2000 75 75	08 92 68 77 14
www.tramway.paris.fr	www.paris.fr	www.ratp.fr

UN TRAM POUR TOUS — MAIRIE DE PARIS RATP — Région Île de France — STIF

Au marché

Vocabulaire

1 **Reliez.**

a.

b.

c.

d.

1. une tomate

2. une pomme de terre

3. des carottes

4. un poireau

5. une salade

6. un oignon

7. un avocat

8. des haricots verts

e.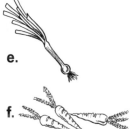

f.

g.

h.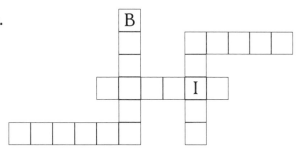

2 **Retrouvez cinq noms de fruits.**

3 **Complétez avec** *qui, combien, est-ce que, quels, comment, où* **et** *qu'est-ce que.*

1. – Vous vous appelez .... ?

– Albertine, et vous ?

2. – Vous parlez avec .... ?

– Avec le professeur de musique.

3. – .... c'est ?

– C'est un melon.

4. – .... tu vas au cinéma demain ?

– Oui, à dix-huit heures.

5. – Vous prenez .... de salades ?

– Deux, s'il vous plaît.

6. – Le marché, c'est .... jours ?

– Le mercredi et le samedi.

7. – D'............................ viens-tu ?

– Du musée du Louvre.

Grammaire

4 **Complétez avec le verbe** *vouloir* **au présent.**

1. Nous .... aller aux Galeries Lafayette.

2. Vous .... combien de melons ?

3. Je .... aller à la gare en taxi.

4. Sandra .... deux kilos de tomates.

5. Arthur et Marion .... une grande voiture.

5 **Complétez avec** *pouvoir* **(2),** *savoir* **(1),** *vouloir* **(2),** *aimer* **(1),** *préférer* **(1).**

1. – D'ici, je .... aller aux Galeries Lafayette à pied ?

– Oui, vous prenez la deuxième à gauche et après c'est tout droit.

2. Pour revenir du théâtre, je .... prendre un taxi.

3. – Tu .... venir avec moi à l'université pour l'inscription ?

– Si tu ....

4. – Vous .... aller au marché ?

– Oui, on adore !

5. – Qu'est-ce que vous .... boire ?

– De l'eau, s'il vous plaît.

6. – Tu .... parler anglais ?

– Oui.

6 **Reliez.**

1. Samuel prend des   **a.** bananes. Désolé !

2. Vous avez du   **b.** haricots verts.

3. Je voudrais de la   **c.** eau.

4. C'est de l'   **d.** salade, s'il vous plaît.

5. Je n'ai pas de   **e.** raisin, s'il vous plaît ?

Phonétique, rythme et intonation

7 🎧 **Écoutez et cochez la bonne réponse.**

	1	2	3	4	5	6
[e] comme dans *bébé*						
[ε] comme dans *cher*						

Civilisation

8 🎧 **Écoutez et lisez les deux textes, puis cochez la bonne réponse.**

Le marché aux fleurs

Dans Paris, il y a un marché aux fleurs ; il est dans le 4e arrondissement, place Louis Lépine et quai de la Corse, à la station de métro Cité. Il existe depuis 1808. Il est ouvert les lundis, mardis, mercredis, jeudis, vendredis, samedis et dimanches. Les enfants aiment venir le dimanche : il devient le marché aux oiseaux, mais il y a aussi des fleurs.

Le marché aux Puces de Saint-Ouen

C'est un très grand marché d'antiquités (il y a onze marchés dans le marché aux Puces de Saint-Ouen). Les antiquités sont des objets anciens ; il y a des livres, des meubles, des objets d'art, des bijoux, des vêtements. Il est ouvert toute l'année les samedis, dimanches et lundis, de 9 heures 30 à 18 heures. Il n'est pas dans Paris, mais très près : à la station de métro Porte de Clignancourt.

	Vrai	Faux
1. Le marché aux fleurs est ancien.	❏	❏
2. Le mardi, il y a des oiseaux au marché aux fleurs.	❏	❏
3. Le samedi, il y a des fruits au marché aux Puces.	❏	❏
4. Il y a des livres au marché aux Puces.	❏	❏
5. Pour aller au marché aux Puces, c'est la station de métro Cité.	❏	❏
6. Le marché aux Puces et le marché aux fleurs sont ouverts le dimanche.	❏	❏

On déjeune ici ?

Vocabulaire

1 **Complétez et mettez les mots dans la grille.**

1. Dans un menu, il y a une ....,
un plat et un dessert.

2. Le vin et l'eau sont des ....

3. ...., c'est manger le matin
et à midi.

4. Payer cash, c'est payer en ....

5. Il y a du vin rouge, du vin rosé et du vin ....

6. Je n'aime pas l'entrée, je prends ....
un plat, un dessert et un café.

2 **Barrez l'intrus.**

un gâteau – une glace – une poire – du pâté

du saucisson – de la salade de tomates – de la salade de fruits – du pâté

du raisin – du vin – de l'eau – du jus de fruits

une carafe – une bouteille – un kilo – une demi-bouteille

3 **Reliez le mot avec le dessin (vous pouvez utiliser un dictionnaire).**

a.

1. une cuillère

2. une fourchette

d.

e.

b.

3. un couteau

4. une assiette

c.

5. un verre

f.

6. une serviette

Grammaire

4 **Conjuguez les verbes entre parenthèses.**

1. – Qu'est-ce que tu *(faire)* .... demain soir?

– Je *(aller)* .... au restaurant avec Catherine et à 9 heures, on *(aller)* ....

au cinéma. Tu *(venir)* .... avec nous?

– Oui, bonne idée!

2. – Vous *(payer)* .... comment?

– Vous *(prendre)* .... la carte bleue?

– Bien sûr!

– Alors on *(payer)* .... par carte!

3. – Isabelle et Sophie, vous *(être)* .... là?

– Oui, on *(arriver)* ....!

5 **Complétez avec un article partitif** *(du, de la, de l', des)* **ou un article défini** *(le, la, les)*.

1. – Vous désirez .... plat du jour?

– Non, je prends seulement .... salade.

– Et comme boisson?

– Je voudrais .... eau s'il vous plaît.

2. – J'adore .... saucisson! Comme entrée, je prends .... saucisson. Et toi?

– Moi, je prends .... carottes râpées; c'est bon pour .... santé!

3. – .... épinards, c'est combien?

– C'est un euro .... kilo. Ils sont superbes!

4. Comme fruits, j'adore .... bananes, ... poires et .... raisin.

5. Pour faire des poires au chocolat, il faut .... poires et .... chocolat.

6 **Entourez la bonne réponse.**

1. – Tu habites avec Arthur et Léa?

– Non, je travaille avec **eux** – **elles** – **toi**.

2. – Monsieur, les melons sont à **toi** – **vous** – **lui**?

– Oui, ils sont à **nous** – **elle** – **moi**.

3. – Le café, c'est pour qui? Pour Christopher?

– Oui, c'est pour **elle** – **lui** – **nous**.

4. – Le chat est aux voisines?

– Oui, il est à **elles** – **nous** – **elle**.

7 **Remettez les phrases en ordre.**

1. aux – c'est – Élisa, – cheveux – fille – bruns. – la

....

2. voudrais – à l'– Je – saucisson – du – ail.

....

3. tomates – et – J'– la – le – de – au – adore – gâteau – salade – chocolat.

....

Phonétique, rythme et intonation

8 🎧 **Écoutez et cochez la phrase que vous entendez.**

1. ❏ Vous prenez un poisson. ❏ Vous prenez une boisson.

2. ❏ Je prends un pain. ❏ Je prends un bain.

3. ❏ Il veut des poires. ❏ Il veut boire.

4. ❏ C'est à Pierre. ❏ C'est une bière.

5. ❏ Quelle peur ! ❏ Quel beurre !

Civilisation

9 **Lisez l'article et répondez aux questions.**

> **La tomate à toutes les sauces**
>
> Dix espèces de tomates : Verna orange, Oroma, Green Zebra, Délice d'or, Cherokee Purple, Brandywine, Black Prince, Ananas… Il y a des tomates à croquer, des tomates à cuisiner, des tomates pour les sauces ou pour les confitures. On mange des tomates de l'entrée jusqu'au dessert : en soupe, en terrine, en tarte, en salade, en plat ou dans les pâtes. Ici la tomate est une star ! Le cadre est moderne, la terrasse est jolie, les serveurs sont très gentils et les recettes sont sympas. R. S.
>
> ***Rouge Tomate***, 34 place du Marché-Saint-Honoré, 1er, 01 42 61 16 09. Ouvert tous les jours jusqu'à minuit. Formules à 15,50 euros, 16,50 et 21,50 euros. Produits d'épicerie en vente. Pas de chèques.

1. Comment s'appelle le restaurant ? ....

2. Le restaurant est à Paris ? ....

3. Quelle est la spécialité du restaurant ? ....

4. Il y a combien de tomates différentes ? ....

5. On mange dehors et dedans ? ....

6. Il y a combien de menus ? ....

7. Le restaurant prend la carte bleue ? ....

8. Il y a des desserts avec des tomates ? ....

9. Quel est le numéro de téléphone ? ....

On va chez ma copine ?

Vocabulaire

1 **Reliez les synonymes comme dans l'exemple.**

1. vouloir
2. un copain
3. dîner
4. joli
5. très bon
6. partir

a. excellent
b. beau
c. désirer
d. s'en aller
e. un ami
f. manger le soir

2 **Complétez et placez les mots dans la grille.**

1. J'ai mon portable, je peux .... Claire.

2. Je prends mon .... de maths pour le cours.

3. Prendre le repas du soir, c'est ....

4. C'est un fruit, C'est jaune dehors et orange dedans,

c'est un ....

5. Je prends un dessert et .... un café.

6. Rosa est la .... de Susana.

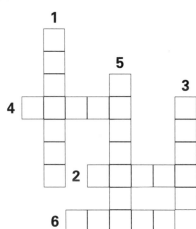

Grammaire

3 **Entourez l'adjectif possessif qui convient comme dans l'exemple.**

Mon – Ma – (Mes) amis sont en Italie.

1. Elle téléphone à **son – sa – ses** amie.

2. Où sont **mon – ma – mes** CD ?

3. Ton – Ta – Tes sœur habite loin d'ici ?

4. Marine prend **son – ses – sa** livre.

5. Tes – Ta – Ton université c'est Paris IV ?

4 **Complétez avec l'adjectif possessif qui convient comme dans l'exemple.**

*Demain, Sarah dîne chez **ses** amis belges.*

1. Je ne peux pas appeler Jérôme : je n'ai pas .... portable.

2. – Quel est .... numéro de portable ?

– 06 86 45 53 08.

3. Margot aime bien .... école et .... professeurs.

4. Karim cherche .... billet de train.

5 **Cochez la ou les réponse(s) possible(s) comme dans l'exemple.**

Je le connais bien.   ☑ *mon voisin*   ❏ *mes copines*   ☑ *le Canada*

1. Je le prends demain.

❏ le bus	❏ les livres	❏ la voiture

2. Je l'adore.

❏ Isabelle Adjani	❏ mon chat	❏ mes sœurs

3. Je la déteste.

❏ Gérard Depardieu	❏ les pommes	❏ la copine de Franck

4. Patrick le cherche.

❏ ses copines	❏ les billets	❏ le plan

5. Elle l'aime beaucoup.

❏ la cuisine japonaise	❏ les fleurs	❏ le livre

6 **Remplacez les mots soulignés par le pronom complément** *(le, l', la)* **qui convient.**

Sophie parle très bien le chinois. → *Sophie **le** parle très bien.*

1. Nous regardons la photo d'Éléonore. → ....

2. Tu prends le train à la gare du Nord? → ....

3. Ils connaissent bien la voisine de Carla. → ....

4. J'ai ton CD à la maison. → ....

5. Tu aimes le gâteau au chocolat avec de la crème? → ....

6. On achète la salade ici? → ....

7 **Reliez.**

1. Est-ce que tu viens avec nous?
2. C'est combien?
3. C'est pour qui la salade de tomates?
4. La jeune fille blonde, c'est qui?
5. À qui est le livre bleu?
6. Qu'est-ce que vous désirez?

a. Un café et un croissant.
b. Aline. C'est une amie.
c. Oui, avec plaisir.
d. À moi!
e. Deux euros pièce.
f. Pour moi.

Phonétique, rythme et intonation

8 🎧 **Écoutez et mettez une croix dans la bonne colonne.**

	1	2	3	4	5	6	7	8	9	10
[y] comme dans *une*										
[u] comme dans *pour*										

Civilisation

9 **Lisez le texte, regardez les documents, puis répondez aux questions.**

Où habitent les étudiants ?

40 % des étudiants vivent chez leurs parents. Les autres cherchent un logement dans les villes universitaires. Un étudiant peut avoir une chambre dans une résidence universitaire ou dans un foyer (résidence pour les étudiants). Il peut aussi louer un appartement seul ou avec d'autres étudiants. La colocation, c'est louer un appartement avec d'autres étudiants. Les colocataires sont les personnes qui louent l'appartement ensemble. Maintenant, en France, beaucoup d'étudiants préfèrent la colocation et il y a beaucoup de sites internet pour chercher une colocation. En 2000, Frédéric de Bourguet, un ancien colocataire, crée le site « Colocation. fr ». En 2001, avec Antoine de Peytavin, il propose « le jeudi de la colocation » : les premiers jeudis du mois, à Paris, Lyon, Grenoble et Marseille, les colocataires peuvent se voir et parler avec des avocats, avec les auteurs du livre *Le Guide de la colocation*. L'entrée coûte 7 euros avec une boisson gratuite !

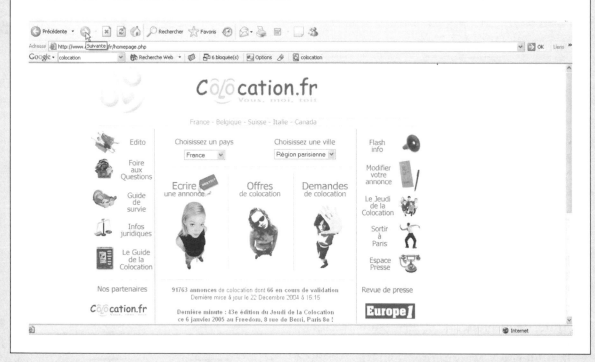

1. En France, la colocation, c'est ancien ou c'est nouveau ? ....

2. Les étudiants préfèrent la colocation car : ❏ ça ne coûte pas très cher.

❏ on habite seul.   ❏ on peut rencontrer des personnes.

3. Sur le site, dans quels pays on peut chercher des colocataires ?

....

4. Vous êtes étudiant à Paris, quel logement préférez-vous ?

....

Chez Susana

Vocabulaire

1 **Dites dans quelle pièce il y a ces objets.**

1. Dans ...., il y a un lit.

2. Dans ...., il y a un canapé.

3. Dans ...., il y a des casseroles.

4. Dans ...., il y a une baignoire.

un lit

des casseroles

un canapé

une baignoire

2 **Regardez le dessin et lisez le texte.**

LA FAMILLE

Georges est **le mari** de Marguerite, Marguerite est **la femme** de Georges. Ils ont deux **enfants** : **un fils**, Robert, et **une fille**, Huguette. Robert est **le frère** d'Huguette, Huguette est **la sœur** de Robert.

Jean est **le mari** d'Huguette et **le beau-frère** de Robert. Nicole est **la femme** de Robert et **la belle-sœur** d'Huguette.

Anne, Jean-François et Éric sont **les petits-enfants** de Georges et de Marguerite. Marguerite est **la grand-mère** et Georges est **le grand-père**.

Jean-François est **le cousin** d'Éric et Anne est **la cousine** d'Éric.

Huguette est **la tante** d'Éric et Jean est **son oncle**. Éric est **le neveu** de Jean et d'Huguette, Anne est **la nièce** de Nicole et de Robert.

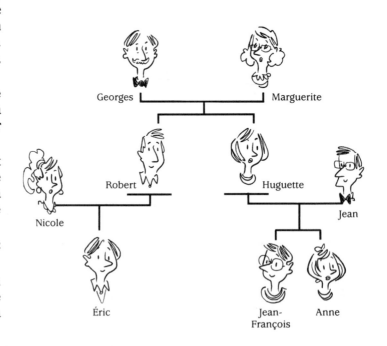

3 **Trouvez le féminin comme dans l'exemple.**

*le mari → **la femme***

1. le grand-père → ....

2. l'oncle → ....

3. le neveu → ....

4. le cousin → ....

5. le beau-frère → ....

6. le père → ....

4 **Complétez comme dans l'exemple.**

*José est le père de Nina → **Nina est la fille de José.***

1. Claire est la femme de Frédéric → Frédéric est ....

2. Sophie est la petite-fille de François → François est ....

3. Alain est le fils de Reine → Reine est ....

4. Juliette est la sœur de Victor → Victor est ....

5. Antoine est le cousin de Léa → Léa est ....

6. Patrice est l'oncle de Juliette → Juliette est ....

Grammaire

5 **Mettez une croix dans la bonne colonne.**

	un seul possesseur ☺	plusieurs possesseurs ☺☺☺☺
1. Pauline et Stephanie, vous cherchez votre voiture?		
2. Michel, comment va votre mère?		
3. Les enfants, vous avez vos billets?		
4. Notre appartement n'est pas très grand.		
5. Ses parents vivent en Bretagne.		
6. Sa mère s'appelle Louise.		

6 **Complétez avec *notre*, *nos*, *votre* ou *vos* comme dans l'exemple.**

1. Nous vivons dans une grande maison à Toulouse, près de ***nos*** parents et de .... amis, mais .... fille habite à Paris, dans le 18ᵉ, avec son ami.

2. – Vous pouvez prendre .... billets, monsieur. .... train part dans une heure.

– Merci.

3. – Vous êtes seuls ? Où sont .... enfants ?

– Ils sont chez des copains. Ils reviennent bientôt.

4. – Marc, tu connais .... nouveau numéro de téléphone ?

– Non.

7 **Remettez les phrases en ordre.**

1. demain – t'– appelle – On – soir.

....

2. tu – Sophie, – aimes- ? – l'– bien

....

3. nous – bien. – Maintenant – connaissons – te

....

4. Karine – cafétéria – cherche – à –? – me – la

....

5. t'– la – aide – mettre – Je – table – à –?

....

8 **Répondez avec une phrase négative comme dans l'exemple. Attention à l'article.**

*Vous voulez **un** dessert ? Non, je ne veux pas **de** dessert.*

*Vous aimez **les** desserts ? Non, je n'aime pas **les** desserts.*

1. Ils ont des amis ? ....

2. Tu connais son numéro de portable ? ....

3. Vous cherchez le Bon Marché ? ....

4. Vous voulez du poulet ? ....

5. Elles achètent de la glace ? ....

6. Elle aime la glace à la vanille ? ....

Phonétique, rythme et intonation

9 **Écoutez et barrez les « e » muets (les « e » que vous n'entendez pas.)**

1. Je n'aime pas beaucoup son frère.

2. Vous voulez de la salade ?

3. Le café, tu le prends avec du sucre ?

4. C'est une surprise.

5. Je l'appelle demain.

Civilisation

10 **Regardez la photo et répondez aux questions.**

1. À votre avis, c'est une table pour des invités ?

....

2. Le couteau est à gauche de l'assiette ?

....

3. Le grand verre, c'est pour l'eau ou pour le vin ?

....

4. À votre avis, la serviette est en papier ou en tissu ?

....

Qu'est-ce qu'on leur offre ?

Vocabulaire

1 **Complétez avec le verbe qui convient (conjuguez le verbe au présent)** : *déranger, s'installer, connaître, apporter, montrer, offrir, appeler.*

1. Michèle dîne chez ses voisins. Elle leur .... des fleurs.

2. – Vous êtes fatigué ? Je vous .... votre chambre maintenant ?

– Je veux bien.

3. Alexandra prend un café. Ensuite, le serveur lui .... l'addition.

4. – Vous .... bientôt dans votre maison ?

– Oui, dans trois jours.

5. – Tu m'... demain ? Tu as mon numéro de portable ?

– Oui, je l'ai.

6. Je .... bien Sandra ; elle habite à côté de chez moi.

7. – Monsieur Végré, je peux entrer ? Je ne vous .... pas ?

– Pas du tout ! Entrez, entrez !

2 **Barrez l'intrus.**

1. un cadeau – un invité – une fête – une chambre

2. un studio – une salle de bains – un verre – une cuisine

3. s'installer – téléphoner – appeler – rappeler

4. du bordeaux – de l'eau – du melon – du jus d'orange

Grammaire

3 **Complétez avec le verbe** *offrir* **au présent de l'indicatif ou à l'impératif.**

1. – Qu'est-ce que tu .... à Papa et Maman pour Noël ?

– Je ne sais pas.

2. Messieurs, à la Saint-Valentin, ... du parfum !

3. – Vous ne leur .... pas de fleurs ?

   – Non, on préfère offrir du vin.

4. Il ne leur .... pas de cadeau.

5. – Qu'est-ce que je peux offrir à Bérénice ?

   – .... un livre à Bérénice ! Elle adore les livres !

4 **Remettez les phrases en ordre comme dans l'exemple.**

de – pas – Nous – cadeau ! – leur – ne – apportons
Les voisins ? **Nous ne leur apportons pas de cadeau !**

1. leur – vont – demain. – Ils – grand-mère – chez

   Les enfants ? ....

2. studio. – Ils – leur – nouveau – adorent

   Nicole et Serge ? ....

3. Antoine – montre – chambre. – sa – leur

   Juliette et Chloé ? ....

4. livres – donne – leur – leurs – Le professeur – aujourd'hui.

   Les collégiens ? ....

5 **Reliez.**

1. Tu aimes le café ?   **a.** Si, mais il ne marche pas.

2. Vous n'allez pas au marché le samedi ?   **b.** Si, elle est chez elle.

3. Tu ne rappelles pas Claire ?   **c.** Oui, j'adore ça.

4. Ils partent demain au Canada ?   **d.** Non : elle est petite.

5. Il n'y a pas l'ascenseur ?   **e.** Non, nous y allons le mercredi.

6. Vous pouvez manger dans la cuisine ?   **f.** Non, aujourd'hui, à sept heures.

6 **Écrivez l'heure de deux manières différentes comme dans l'exemple.**

13.30 *Il est treize heures trente. Il est une heure et demie.*

12.15 **1.** ....

18.50 **2.** ....

17.45 **3.** ....

4.35 **4.** ....

7 **Répondez en utilisant un pronom personnel complément** *(le, l', la, lui ou leur)* **comme dans l'exemple.**

Tu ne téléphones pas <u>à Mathieu</u>? (Si, dans cinq minutes) → *Si, je **lui** téléphone dans cinq minutes.*

1. Vous ne connaissez pas Fabrice et Gloria? (Si, très bien) → ....

....

2. Vous n'aimez pas Gérard Depardieu? (Si, beaucoup) → ....

....

3. Vous ne montrez pas sa chambre à Robert? (Si, maintenant) → ....

....

4. Tu donnes leurs manteaux à Maxime et Virginie? (Oui, bien sûr) → ....

....

5. Tu ne manges pas ton orange? (Si, avec plaisir) → ....

....

Phonétique, rythme et intonation

8 🎧 **Écoutez et mettez une croix dans la bonne case.**

	1	2	3	4	5	6	7	8	9	10
J'entends [ɛ̃] comme dans *demain*										
J'entends [ɑ̃] comme dans *grand*										

Civilisation

9 🎧 **Écoutez et lisez le texte suivant puis cochez les bonnes réponses.**

Le beaujolais nouveau est arrivé !

Le troisième jeudi du mois de novembre, à minuit précises, en France, et maintenant dans beaucoup de pays du monde comme l'Allemagne, les États-Unis, la Suisse ou le Japon, beaucoup de gens fêtent «le beaujolais nouveau». C'est une tradition qui est née en 1985, dans le Beaujolais, une région au nord de Lyon. Pour faire le beaujolais nouveau, on prend un raisin spécial : le gamay noir à jus blanc. Une bouteille de beaujolais nouveau coûte environ quatre euros. Ce n'est pas un «très grand vin», mais pour les Français, c'est «le vin de la fête», c'est «le vin des copains». Le troisième jeudi de novembre, il y a une centaine de fêtes dans les villages du Beaujolais et des visiteurs de toute la France viennent pour fêter l'arrivée du beaujolais nouveau. Dans les cafés, dans les magasins, il y a des affiches : «Le beaujolais nouveau est arrivé !»

	Vrai	Faux
1. Le beaujolais nouveau est un vin de Bourgogne.	❏	❏
2. Il y a du beaujolais nouveau dans les magasins depuis 1970.	❏	❏
3. On boit le beaujolais nouveau en été.	❏	❏
4. C'est un vin très cher.	❏	❏
5. Il y a beaucoup de fêtes pour l'arrivée du beaujolais nouveau.	❏	❏

On solde !

Vocabulaire

1 **Que dites-vous dans ces situations ? Reliez.**

1. Vous essayez un pantalon.

2. Le dîner est prêt.

3. Vous êtes à table et vous regardez le plat.

4. Vous entrez dans le bureau du directeur.

5. Quelqu'un vous demande quelque chose et vous êtes d'accord.

6. Vous donnez rendez-vous à un copain.

a. Entendu !

b. Viens à dix heures pile.

c. Il me va comment ?

d. À table ! C'est prêt !

e. Hum ! Ça sent bon !

f. Je ne vous dérange pas ?

2 🎧 **Écoutez et complétez les phrases.**

1. Vous faites quelle .... ?

2. J' .... d'un manteau pour cet hiver.

3. Quoi ! Il est dix heures ? Je suis .... !

4. J'aime beaucoup cette ...., et la vendeuse est très gentille.

5. Je voudrais acheter une .... de chaussures noires à talons.

Grammaire

3 *Plus que..., moins que...* **Complétez comme dans l'exemple.**

*Ce manteau est **plus** cher **que** ce pantalon.*

*Ce pantalon est **moins** cher **que** ce manteau.*

Madame Langlois ....

Mademoiselle Sarlet ....

vieille

grand

Arthur ....

Antoine ....

élégante

Stéphanie ....

Audrey ....

4 **Répondez comme dans l'exemple.**

– Je voudrais venir ce soir.

*– **Non, ne viens pas ce soir.***

1. – Je peux chanter ?

   – Non, s'il te plaît, ...

2. – Nous pouvons sortir, maman ?

   – Non, ...

3. – Je veux aller au cinéma, papa.

   – Non, ...

4. – Nous pouvons payer maintenant ?

   – ....

5 **Associez les éléments pour faire des phrases comme dans l'exemple.**

Je voudrais acheter ———————————— *ces* ———— matin.
1. Nous habitons dans   ce   fille ?
2. Comment s'appelle   cet   *bottes noires.*
3. Je vais à l'aéroport   cette   appartement.

6 **Retrouvez la question comme dans l'exemple.**

Ce chat est à vous ? – Oui, c'est notre chat.

1. .... ? – Oui, c'est mon manteau.

2. .... ? – Oui, c'est notre appartement.

3. .... ? – Oui, ce sont mes bottes.

4. .... ? – Oui, c'est ma chambre.

7 **Complétez avec les pronoms compléments *les* ou *leur*.**

1. – Les Chaineaux, vous .... connaissez bien ?

– Oui, et nous .... aimons beaucoup. Nous .... invitons souvent.

2. – Vous allez chez vos parents pour leur anniversaire de mariage ?

– Oui, et nous .... offrons un voyage à l'île Maurice.

3. – J'ai un cadeau pour Juliette et Victor.

– Tu .... donnes ce soir ?

4. – Où sont Danielle et Rachid ?

– Dans la chambre de Patrice. Il .... montre ses photos.

Phonétique, rythme et intonation

Comment se prononcent les lettres soulignées ?
Cochez la bonne case comme dans l'exemple.

	[f]	[v]	[s]	[z]	[Ø]
		✔			

Il a neuf ans.

1. Il y a neuf personnes ici.

2. Il est six heures.

3. Il sait compter jusqu'à dix.

4. Vous avez des bananes ?

5. Quatre-vingt-neuf plus un, ça fait combien ?

6. J'ai six pantalons.

Civilisation

9 **Lisez ces témoignages et répondez aux questions.**

• J'achète les vêtements au moment des soldes. J'habille la famille. (Corinne, 35 ans)

• Les soldes ? Oui, j'aime bien, mais pas dans les grands magasins. (Franck, 16 ans)

• Pour les soldes, je dépense environ cinq cents euros. (Séverine, 26 ans)

• Je déteste les soldes : il y a trop de monde dans les magasins. (Jean-Paul, 49 ans)

• Oui, j'aime bien les soldes. (Stéphane, 40 ans)

• Les soldes, on les annonce aux informations maintenant ! (Christiane, 45 ans)

1. Quels témoignages sont plutôt positifs ? Plutôt négatifs ? Ni positifs ni négatifs ?

....

2. Quel témoignage montre que les soldes, c'est un événement important pour les Français ?

....

3. Les soldes, c'est seulement dans les grands magasins ?

....

Découvrir Paris en bus avec l'Open Tour

Vocabulaire

1 **Les mots cachés. Retrouvez sept noms de mois.**

J	A	N	V	O	C	A	M	M	A	R	S	U
I	V	O	H	C	R	M	A	I	V	I	H	S
J	R	V	I	T	D	E	C	E	M	L	A	O
U	I	S	D	O	E	R	A	O	U	T	J	C
I	L	S	E	B	C	I	J	E	U	D	U	T
N	O	V	E	R	J	A	N	V	I	E	R	O
L	N	O	V	E	M	V	I	V	R	R	O	B

2 **Complétez les phrases avec les noms suivants :** *Le parc, des monuments, le musée, une promenade, des tickets.*

1. Pour prendre le métro, je peux acheter une carte orange ou ....

2. Le Louvre, la tour Eiffel et Notre-Dame de Paris sont .... de Paris.

3. Tous les dimanches, monsieur Béchoux aime faire .... au jardin du Luxembourg.

4. .... Monceau est dans le 8ᵉ arrondissement, à la station de métro Monceau.

5. Au jardin des Tuileries, dans .... de l'Orangerie, il y a des tableaux de Monet.

3 **Complétez les phrases. Cochez l'adjectif qui convient.**

1. Découvrir une ville, c'est

❏ préféré   ❏ indépendant   ❏ intéressant

2. Louise aime vivre seule ; elle est

❏ prochaine   ❏ indépendante   ❏ facile

3. Cet exercice est très

❏ chic ❏ facile ❏ principal

4. Je vais au Canada l'année

❏ prochaine ❏ préférée ❏ géniale

Grammaire

4 **Complétez les phrases avec le verbe** *voir* **à la forme qui convient.**

*Je ne **vois** pas Rachida. Où elle est?*

1. Ce soir, nous allons au théâtre; nous .... *Dom Juan* de Molière.

2. Serge aime beaucoup Stéphanie; il la .... tous les jours!

3. – Vous .... Notre-Dame de Paris à votre droite?

– Oui, très bien.

4. Philippe et Claire sont loin de la scène: c'est pour ça qu'ils ne .... pas très

bien les musiciens.

5 **Répondez en utilisant l'impératif comme dans l'exemple.**

Je mets <u>*la table*</u> *maintenant?* (Non, dans dix minutes)
→ *Non, ne la mets pas maintenant. Mets-la dans dix minutes.*

1. J'achète <u>les chaussures noires</u> au Printemps? *(Non, aux Galeries Lafayette)*

→ ....

2. Nous prenons <u>l'avion</u> à Toulouse? *(Non, à Lyon)*

→ ....

3. Nous achetons <u>les billets</u> à la gare de l'Est? *(Non, à la gare du Nord)*

→ ....

4. Je garde <u>la monnaie</u>? *(Non)* → ....

6 **Reliez.**

1. Je   **a.** se trouve sur la rive gauche.

2. Vous   **b.** t'appelles comment?

3. Elsa et Joséphine   **c.** m'installe demain dans mon nouveau studio.

4. Tu   **d.** s'arrête à la prochaine station de métro.

5. Jean-Paul   **e.** vous asseyez où vous voulez.

6. Le musée d'Orsay   **f.** se retrouvent devant le cinéma.

7 **Conjuguez les verbes entre parenthèses au présent, comme dans l'exemple.**

Nous (se promener) ***nous promenons*** *avec des copains sur les quais de la Seine.*

1. Je ne connais pas bien Paris et je *(se tromper)* .... souvent de chemin.

2. Jeanne et sa fille *(s'installer)* .... à la terrasse d'un café.

3. Vous *(s'appeler)* .... Julie ?

4. Nous *(se retrouver)* .... sur la place du Trocadéro, d'accord ?

5. Tu *(s'asseoir)* .... ici et moi, je *(s'asseoir)* .... là.

8 **Remettez les phrases en ordre.**

1. bureau. – sont – mes – mon – Tous – dans – livres

....

2. Le – toutes – après-midi, – les – sont – samedi – boutiques – ouvertes.

....

3. Demain, – toute – je – à – la – suis – l'– journée. – université

....

4. dans – l'– Il – tout – appartement. – a – des – y – fleurs

....

Phonétique, rythme et intonation

9 🎧 **Écoutez et cochez la bonne case.**

	1	2	3	4	5	6	7	8	9	10
J'entends [y] comme dans la *rue*										
J'entends [u] comme dans *où*										

Civilisation

10 🎧 **Écoutez le texte et regardez la photo, puis cochez la bonne réponse.**

	Vrai	Faux
1. Le centre Georges-Pompidou, on l'appelle aussi Beaubourg.	❑	❑
2. Beaubourg est construit en 1969.	❑	❑
3. Ce musée est dans le 8ᵉ arrondissement.	❑	❑
4. L'architecte de Beaubourg est français.	❑	❑
5. Il y a une pyramide devant le musée de Beaubourg.	❑	❑
6. Il y a une grande place devant le musée.	❑	❑
7. Tous les Parisiens adorent Beaubourg.	❑	❑
8. Il y a moins de visiteurs à la tour Eiffel qu'à Beaubourg.	❑	❑

Si vous gagnez, vous ferez quoi?

Vocabulaire

1 **Replacez le mot manquant:** *suspense, succès, retour, règle, candidat.*

1. Une personne qui participe à un jeu ou qui passe un examen, c'est un ....

2. Beaucoup de personnes applaudissent très fort cet acteur; il a du ....

3. Je ne peux pas jouer, je ne connais pas bien la .... de ce jeu.

4. Il y a du .... dans les films d'Alfred Hitchcock. C'est pour ça qu'Hélène aime beaucoup ses films.

5. Vous partez le 18 juin, mais quelle est la date de votre .... ?

2 **Classez les mots suivants comme dans l'exemple:** *gagner, se promener, un studio, une cuisine, un pantalon, la chance, un itinéraire, finaliste, essayer, heureux, un monument, des chaussures, une taille, découvrir, habiter, s'installer.*

1. *Le jeu:* **gagner**, **la chance**, ...

2. L'habillement: ....

3. Le tourisme: ....

4. Le logement: ....

3 **Reliez comme dans l'exemple.**

1. s'arrêter   **a.** un rappel

2. permettre   **b.** des applaudissements

3. rappeler   **c.** une réponse

4. découvrir   **d.** des félicitations

5. féliciter   **e.** une permission

6. applaudir   **f.** une découverte

7. répondre   **g.** un arrêt

Grammaire

4 **Conjuguez le verbe entre parenthèses au présent comme dans l'exemple.**

C'est toi qui (être) *es le prochain candidat.*

1. L'itinéraire qui *(passer)* .... par la place de la Concorde est plus intéressant

que l'itinéraire qui *(partir)* .... de la tour Eiffel.

2. C'est nous qui *(poser)* .... les questions, pas vous !

3. C'est moi qui *(prendre)* .... les billets d'avion.

4. C'est vous qui *(faire)* .... la cuisine aujourd'hui.

5. À Paris, pendant l'été, les jeunes qui *(porter)* .... un tee-shirt couleur prune,

une veste et une casquette orange sont «les ambassadeurs de l'accueil».

5 **Remettez les phrases en ordre.**

1. nous – au – Si – samedi – irons – veux, – prochain. – Louvre – tu

....

2. ferai – fais – les – Je – courses. – la – si – tu – cuisine

....

3. je – l'– à – heures, – dormirai – ne – prends – cinq – Si – beaucoup. – avion – je – pas

....

4. Cornélia – trouve – la – 20 000 – un – réponse. – gagnera – si – bonne – elle – euros

....

6 **Complétez le tableau.**

infinitif	*gagner*			*faire*
je (j')			*trouverai*	
tu		*iras*		
il / elle			*trouvera*	
nous	*gagnerons*			
vous				*ferez*
ils / elles		*iront*		

7 **Barrez la mauvaise proposition comme dans l'exemple.**

*Pour aller **à** – par l'Hôtel de Ville, tu peux prendre la ligne 1.*

1. Nous changeons **de** – à Châtelet, nous prenons le RER et nous descendons **à** – par Denfert.

2. Le train part **par** – de Paris à 15 h 12 et il arrive **à** – de Lyon à 18 h 16.

3. Alexis est russe ; il vient **à** – de Russie.

4. Si tu passes **de** – par Saint-Germain-des-Prés, prends un verre aux *Deux Magots*.

5. Nathalie change **de** – à pantalon tous les jours !

8 **Faites de la publicité pour les produits suivants ; utilisez des superlatifs, comme dans l'exemple.**

facile – fatigant – intéressant

Pour visiter Paris, choisissez l'Open Tour ; c'est la solution la plus facile, la moins fatigante et la plus intéressante !

1. Rapide – économique – bruyante – confortable

Essayez la 906 ; c'est la voiture ....

.... !

2. mûr – cher – gros – beau

Achetez mes melons ! Ce sont les fruits ....

.... !

3. drôle – intelligent – intéressant

Jouez à « C'est parti ! » ; c'est le jeu ....

....

4. fragile – chaud – élégant – confortable

Prenez ces bottes-là ; ce sont les bottes ....

.... !

Phonétique, rythme et intonation

9 🎧 **Écoutez et cochez la phrase que vous entendez.**

1. ❑ Restez à la maison.   ❑ Testez le jambon.

2. ❑ Cette rue est géniale.   ❑ Cette vue est géniale.

3. ❑ Vous ferez quoi ?   ❑ Vous fêtez quoi ?

4. ❑ C'est une terrasse de café.   ❑ C'est une tasse à café.

5. ❑ Je veux un ananas bien mûr.   ❑ Je veux un ananas en plus.

6. ❑ S'il te plaît, donne-moi à boire. ❑ S'il te plaît, donne-moi la poêle.

Civilisation

10 **Regardez les tableaux et la photo, puis répondez aux questions.**

LES LOISIRS DES FRANÇAIS

Loisirs par ordre de préférence

1. la télévision
2. la lecture
3. le tourisme et les promenades
4. les conversations, le téléphone
5. les visites à la famille, aux amis
6. les jeux (enfants, adultes)
7. la pratique sportive
8. les spectacles
9. écouter la radio ou des disques
10. la pêche et la chasse

Loisirs à l'extérieur de la maison	%
activité sportive	49
sortie au cinéma	29,1
autre divertissement	24
spectacle sportif	15,7
parc d'attraction, excursions	13,8
musée, exposition	13,5
fréquentation d'une bibliothèque	11,8
concert, théâtre, ballet	11,1

Source : INSEE, 2002.

1. Un loisir, qu'est-ce que c'est ?

❏ Ce qu'on aime faire pendant le temps libre.

❏ Ce qu'on n'aime pas faire.

2. Pour leurs loisirs, les Français préfèrent rester à la maison ou sortir ?

_____

3. Quel est le loisir préféré des Français ? _____

4. En général, la télévision est dans quelle pièce ? _____

5. Quand ils sortent, les Français préfèrent faire quoi ? _____

_____

6. À votre avis, pourquoi les Français vont plus au cinéma qu'au théâtre et aux concerts ?

❏ Le théâtre et les concerts sont plus chers que le cinéma.

❏ Il n'y a pas de publicité pour le théâtre et les concerts.

Parasol ou parapluie

Vocabulaire

1 **Complétez et placez les mots dans la grille.**

1. Il commence le 21 mars et finit le 20 juin ;

c'est le ....

2. Quinze degrés hier, seize degrés aujourd'hui !

La .... ne monte pas vite.

3. Le ciel est noir, le vent est fort ; il n'y a pas

de ....

4. À 20 heures, il y a les .... à la télévision.

5. S'il pleut, je prendrai mon ....

2 **Reliez les contraires.**

1. froid		**a.** difficile
2. vrai		**b.** chaud
3. meilleur		**c.** lent
4. heureux		**d.** triste
5. rapide		**e.** faux
6. facile		**f.** pire

3 **Reliez les expressions au dessin correspondant.**

1. Il y a des nuages.   **a.**

2. Il y a de la pluie.   **b.**

3. Il y a de l'orage.   **c.**

4. Il y a du brouillard.   **d.**

5. Il y a du soleil.   **e.**

6. Il y a de la neige.   **f.**

Grammaire

4 **Complétez avec** *il faut, il y a, il fait* **ou** *c'est.*

1. Pour faire un bouquet, ... des fleurs.

2. Joël est un cuisinier formidable ; .... très bien la cuisine.

3. Tiens ! .... un chat dans le jardin. .... le chat des voisins ?

4. Si nous ne voulons pas être en retard au théâtre, ... partir maintenant.

5. .... très chaud aujourd'hui mais demain il fera encore plus chaud.

6. .... de la neige et du soleil sur les Alpes en ce moment.

7. Les jours sont plus longs, il fait plus chaud, ... bientôt l'été !

5 **Complétez le bulletin météo avec les expressions suivantes :** *il y aura* **(futur de « il y a »),** *il fera, il neigera* **ou** *il pleuvra.*

Demain, au nord de la France, *il y aura* du brouillard dans la matinée, mais .... beau tout l'après-midi. .... du vent sur les côtes bretonnes et .... sur la région de Rennes. Dans les Alpes et dans les Pyrénées, ... à partir de 2000 mètres d'altitude. Le temps sera ensoleillé le matin sur la Côte d'Azur, mais .... des nuages en fin d'après-midi. Dans le reste du pays, le temps sera gris. Du côté des températures, ... assez frais sur l'ensemble du pays : 8 degrés à Paris, 12 degrés à Marseille, sauf en Corse où .... 17 degrés.

6 **Comparez Valérie Meunier et Simon Tournier. Faites des phrases en utilisant** *plus... que, moins... que, aussi... que.*

Valérie Meunier	Simon Tournier
âge : 28 ans	âge : 35 ans
taille : 1,67 m	taille : 1,75 m
cheveux : très brune	cheveux : très brun
profession : psychologue	profession : ingénieur
appartement : 75 m²	appartement : 110 m²
caractère : sympathique, indépendante	caractère : sympathique, très indépendant
sport : tennis (2 fois par semaine)	sport : natation le lundi et le vendredi

Valérie est plus jeune que Simon, ...

....

....

....

7 Qu'est-ce qu'ils vont faire ce week-end ? Faites des phrases en utilisant le futur proche, comme dans l'exemple.

	Karl	Rachida
samedi	14 h : aller au cinéma 20 h : dîner chez Elsa danser en discothèque	11 h 18 : prendre le train pour Bordeaux, fêter l'anniversaire de son amie Sophie
dimanche	matin : nager à la piscine après-midi : se promener aux Invalides	matin : visiter Bordeaux 21 h 06 : arrivée à Paris

Samedi après-midi, à 14 h, Karl va aller au cinéma ; ....

....

Samedi matin, à 11 h 18, ...

....

Phonétique, rythme et intonation

8 Écoutez et cochez la bonne case.

	1	2	3	4	5	6	7	8	9	10
J'entends [ʃ] comme dans *chat*										
J'entends [ʒ] comme dans *jeu*										

Civilisation

9 Cochez la bonne case.

Vrai Faux

1. Le climat français est tempéré. ❏ ❏

2. Il y a deux saisons en France. ❏ ❏

3. À Nice, le climat est méditerranéen. ❏ ❏

4. En France, il ne neige jamais l'hiver. ❏ ❏

Quand il est midi à Paris...

Vocabulaire

1 **Faites-les parler.**

1. – Allô ? Monsieur Suter à l'appareil.
Je voudrais parler à monsieur Mougel.

– ....

2. – ....

– Oh ! Merci !

3. – ....
J'arrive ! J'arrive !

4. – Tu fais quoi demain soir ?

– Je ne sais pas, ... sur
mon agenda. Super, je suis libre.

2 **Complétez avec les mots suivants :** *vite, rapide, loin, prochaine, peut-être, tout le monde, tous mes amis.*

1. Je suis très heureuse .... seront chez moi pour mon anniversaire.

2. – Tu descends où ?

– À la .... station. Et toi?

– Moi, à Trocadéro.

3. Paris-Lyon en TGV, c'est très .... et ça ne coûte pas très cher.

4. .... est là? Nous pouvons commencer à manger?

5. – Tu viens à la fac demain?

   – Je ne sais pas, ...

6. – On va plus .... en voiture qu'en vélo, non?

   – Oui, sauf à Paris!

7. – Le Japon, c'est .... de la France?

   – Oh! Oui!

Grammaire

3 **Conjuguez les verbes entre parenthèses au présent.**

1. Ce soir je *(finir)* .... assez tôt; si tu *(vouloir)* ...., on *(pouvoir)* .... aller prendre un verre à 6 heures sur les Champs-Élysées.

2. On *(aller)* .... à Grenoble. C'est pour ça qu'on ne *(s'arrêter)* .... pas à Nantes.

3. Vous *(finir)* .... bientôt? On *(avoir besoin de)* .... l'ordinateur.

4. Vous *(savoir)* .... quelle heure il est?

5. Désolée! Je n'*(avoir)* .... pas de montre.

4 **Récrivez les phrases suivantes en remplaçant *nous* par *on*.**

Nous préférons téléphoner le soir après 22 heures, c'est moins cher.
***On** préfère téléphoner le soir après 22 heures, c'est moins cher.*

1. Nous appelons Sophie demain soir.

....

2. Hum! Ce gâteau au chocolat a l'air excellent. Nous l'achetons?

....

3. Nous finissons à 5 heures de l'après-midi et nous sommes à la maison à 6 heures.

....

4. Le matin, nous nous levons à 6 heures et demie.

....

5. Le bus est là; nous avons de la chance!

....

5 **Donnez des conseils comme dans l'exemple.**

Nous aimons beaucoup cet appartement. (s'installer ici) → ***Installez-vous ici !***

1. Je suis très fatiguée. *(se reposer pendant une heure)* → ....

2. Nous voulons sortir. *(se promener aux Tuileries)* → ....

3. Je veux aller à l'université. *(s'inscrire assez vite)* → ....

4. Nous n'entendons pas bien le guide. *(s'approcher)* → ....

6 **Complétez les phrases en utilisant** *ne... pas* **ou** *ne... plus* **comme dans l'exemple.**

– Tu prends toujours le train ? → *– Non, je ne **le** prends **plus**.*

1. Tu achètes le journal ? → – Non, je .... l'achète .... le week-end

2. Il pleut encore ? → – Non, il .... pleut .... Nous pouvons sortir.

3. Vous êtes en train de manger ? → – Non, nous .... sommes .... en train de manger.

4. Tu vas toujours à la piscine ? → – Non, je .... y vais ....

5. Ça va durer encore longtemps ? → – Non, ça .... va .... durer. C'est bientôt fini.

7 **Récrivez les phrases avec** *être en train de, venir de* **ou** *aller + infinitif.*

Il vient bientôt. → ***Il va venir.***

1. En ce moment, Isabelle regarde la télé. → ....

2. Nous dînons dans deux minutes. → ....

3. Jean ? Il est arrivé il y a trente secondes ! → ....

4. Maintenant je fais les courses. → ....

5. Je pars seulement de Paris. Je serai à Nantes à 3 heures. → ....

8 **Remettez les phrases en ordre.**

1. je – moins – matin. – Demain, - me – tard – que – lèverai – ce

....

2. sera – la – la – froide – de – Samedi – la – semaine. – journée – plus

....

3. loin – toi, – suis – fatiguée ! – J'habite – que – mais – la – moins – plus – je

....

4. crie – pas – tu – le – Ne – aussi – vas – bébé ! – fort – réveiller

....

5. que – marches – moi, – je – Si – viendrai – aussi – tu – vite – toi. – avec

....

Phonétique, rythme et intonation

9 🎧 **Écoutez et cochez la bonne case.**

	1	2	3	4	5	6	7	8	9	10
J'entends [ɔ̃] comme dans *son*										
J'entends [ɑ̃] comme dans *santé*										

Civilisation

10 **Cochez la bonne phrase.**

1. Mon train part à 18 h 30. ❑

    Mon train part à 6 heures et demie. ❑

2. On se retrouve à l'expo à 16 heures. ❑

    On se retrouve à l'expo à 4 heures pile. ❑

3. Vous avez rendez-vous à 13 h 15. ❑

    Vous avez rendez-vous à 1 heure et quart. ❑

4. Il est 20 heures. Voici les informations. ❑

    Il est 8 heures du soir. Voici les informations. ❑

11 🎧 **Écoutez le texte et cochez la bonne réponse.**

L'heure d'été, l'heure d'hiver.

	Vrai	Faux
1. En France, on change d'heure pendant l'année.	❑	❑
2. On change d'heure quatre fois par an.	❑	❑
3. L'heure d'été commence le 21 juin.	❑	❑
4. On dort une heure de plus quand on passe à l'heure d'hiver.	❑	❑

Vous allez vivre à Paris?

Vocabulaire

1 **Faites-les parler. Complétez les expressions.**

1. – Elle est aimable .... !

2. – On dirait des ....

.... !

3.– Mais quelle .... !

4.– Chacun .... !

2 **Trouvez le verbe qui correspond à chaque définition:** *sortir, rencontrer, attendre, avoir envie de, profiter de (du, de la, de l'), courir.*

1. Vouloir quelque chose, c'est .... quelque chose.

2. Aimer rester au soleil, c'est .... soleil.

3. Avoir de la patience, c'est savoir ....

4. Voir de nouvelles personnes, c'est .... des gens.

5. Se dépêcher, c'est ....

6. Aller au théâtre ou au cinéma ou chez des amis, c'est ....

3 **Barrez l'intrus.**

1. un film – une pièce de théâtre – un opéra – un parasol

2. les études – le bac – le matin – l'université

3. aimable – élégant – sympathique – gentil

4. le dîner – l'anniversaire – la vie – l'âge

5. connaître – attendre – rencontrer – se retrouver

Grammaire

4 **Répondez aux questions en utilisant** *ne (n')... plus, ne... personne, personne... ne, rien... ne* **ou** *ne... rien.*

1. Tu sais quelque chose?

– Non, je ....

2. Il pleut toujours?

– Non, il ....

3. Quelqu'un connaît Luc?

– Non, ...

4. Loïc est encore là?

– Non, il ....

5. Vous parlez à qui?

– Nous ....

6. Tu veux un gâteau?

– Non, je ....

7. Tu vois Michèle et Sylvie?

– Non, je ....

8. Quelque chose te dérange?

– Non, ...

5 **Complétez le tableau.**

infinitif	*savoir*	....	....	*pouvoir*
je	....	*dois*	*veux*	....
tu	*sais*	....	*veux*	....
il / elle / on	....	....	....	*peut*
nous	....	*devons*	....	....
vous	*savez*	....	....	*pouvez*
ils / elles	....	....	*veulent*	....

6 Conjuguez le verbe entre parenthèses au futur ou au conditionnel.

1. J'*(aller)* .... avec plaisir au cinéma avec toi, mais je ne peux pas.

2. Demain, j'*(aller)* .... à la fac à 2 heures. J'ai un cours à 2 heures et demie.

3. – Tu *(vouloir)* .... aller où ?

– À Barcelone ! C'est mon rêve. Mais tu ne *(vouloir)* .... pas y aller !

4. – Tu finis tard ? Alors tu ne *(pouvoir)* .... pas prendre les enfants à l'école ?

– Euh !... Non... Désolé !

5. – Tu *(pouvoir)* .... peut-être acheter du pain, non ?

– Oui, d'accord.

6. Victor *(aimer)* .... beaucoup être acteur.

7. Mathieu *(aimer)* .... beaucoup ce gâteau. Il adore le chocolat !

7 Conjuguez les verbes entre parenthèses au présent.

1. – Tout le monde *(être)* .... là ?

– Non, attends, Lucas arrive ! Ça y est ! On *(être)* .... tous là.

– Bon, chacun *(se mettre)* .... à sa place. Attention, je prends la photo !

2. Ici, les gens *(être)* .... heureux : chaque jour, chacun *(faire)* .... ce qui lui plaît !

3. – Personne ne *(venir)* .... avec moi ?

– Non ! Tout le monde *(vouloir)* .... se reposer !

4. Tous les candidats *(se regarder)* .... ; chacun *(vouloir)* .... gagner.

Phonétique, rythme et intonation

8 🎧 **Accent du sud ou accent du nord ? On entend les « e » muets ou on ne les entend pas ? Cochez la phrase que vous entendez.**

accent du nord	accent du sud
1. ❏ Je n(e) sais pas.	❏ Je ne sais pas.
2. ❏ Comment ça va ma p(e)tit(e) Clair(e) ?	❏ Comment ça va ma petite Claire ?
3. ❏ J(e) vous pass(e) Charlott(e) ?	❏ Je vous passe Charlotte ?
4. ❏ Les grand(es) vill(es), j(e) détest(e).	❏ Les grandes villes, je déteste.
5. ❏ Moi, j'aim(e) bien l(e) cinéma.	❏ Moi, j'aime bien le cinéma.

Civilisation

9 🎧 **Écoutez le texte, regardez les photos et répondez aux questions.**

Une ville de province : Montpellier

1. Le Languedoc-Roussillon, c'est une région qui est à côté

❑ de l'océan Atlantique

❑ de la mer Méditerranée

2. Montpellier, c'est

❑ une vieille ville avec des bâtiments anciens

❑ une ville nouvelle avec des bâtiments modernes

3. Montpellier est

❑ la dixième ville française   ❑ la huitième ville française

4. À Montpellier, il y a

❑ six cent mille étudiants (600 000)   ❑ soixante mille étudiants (60 000)

5. Vivre à Montpellier, ça vous dirait ? Pourquoi ?

....

....

....

....

L'avenir du français

Vocabulaire

1 **Entourez la bonne réponse.**

1. On parle plusieurs **langues** – **identités** au Vietnam.

2. «Ça marche», c'est **une manière** – **une culture** de dire.

3. On mange ici tous les jours; c'est **une manière** – **une habitude**.

4. L'euro est la monnaie **officielle** – **francophone** dans beaucoup de pays européens.

5. Il pleut, il fait froid; quel temps **privilégié** – **triste**!

2 **Associez les adverbes de sens contraires comme dans l'exemple.**
*plus – un peu – loin – tôt – mal – dedans – moins – près – ici –
beaucoup – là-bas – tard – bien – dehors.*

plus → *moins*

1. ....

2. ....

3. ....

4. ....

5. ....

6. ....

3 **Complétez avec un adjectif ou un adverbe:** *mal, mauvais, bien, bonne, mieux, meilleurs.*

1. Le temps sera très .... demain; il y aura des orages sur tout le sud de la France.

2. – Comment ça va?

– Oh là là! Ça va très ....! Je n'ai plus de voiture, plus d'appartement, plus rien!

3. Vivre près de la mer, c'est ....!

4. Au marché, les fruits et les légumes sont .... qu'au supermarché.

5. Jean-Claude fait très .... la cuisine.

6. Hum! J'adore la cuisine italienne; elle est très ....

4 **Complétez les phrases.**

1. En Allemagne, on parle l'..

2. En Italie, on parle l'...

3. Au Vietnam, on parle le ....

4. En Angleterre, on parle l'...

5. Au Maroc, on parle l'.. et le ....

Grammaire

5 **Reliez les questions et les réponses.**

1. Pourquoi tu vas habiter à Paris ?   **a.** Pour fêter son bac.

2. Pourquoi on dîne maintenant ?   **b.** Pour savoir quel temps il fera demain.

3. Pourquoi tu écoutes le bulletin météo ?   **c.** Parce que je suis fatigué.

4. Pourquoi vous allez chez Marie ?   **d.** Pour pouvoir sortir assez tôt.

5. Pourquoi Juliette reste dans sa chambre ?   **e.** Pour faire son travail.

6. Pourquoi tu pars maintenant ?   **f.** Parce que j'adore cette ville !

6 **Remettez les phrases en ordre.**

1. le – l'université. – faut – bac – Il – pour – à – s'inscrire

....

2. pas – trop – ce – aime – n'– parce – Je – jeu – il – compliqué. – est – qu'

....

3. Ne – parce – pleuvoir. – il – pas – va – qu'– sortez

....

4. Nous – partir – nos – pour – à – Marseille – devons – parents. – voir

....

Phonétique, rythme et intonation

7 🎧 **Écoutez et cochez la bonne case.**

	1	2	3	4	5	6	7	8	9	10
J'entends [l] comme dans *place*										
J'entends [r] comme dans *raisin*										

Civilisation

8 🎧 **Écoutez et lisez le texte suivant, puis répondez aux questions.**

Les DOM-TOM

DOM signifie : « département outre-mer ». TOM signifie : « territoire outre-mer ».
Les DOM-TOM sont des régions françaises situées hors de France. La Guadeloupe,
la Martinique et la Réunion sont des DOM. La Nouvelle-Calédonie, la Polynésie
française, Mayotte, Wallis-et-Futuna et Saint-Pierre-et-Miquelon sont des TOM. Ce
sont des régions francophones où les lois françaises sont appliquées. Mais elles
sont adaptées à chaque région. Les TOM deviennent plus autonomes que les DOM.
La Guadeloupe (capitale : Pointe-à-Pitre), la Martinique (capitale : Fort-de-France)
et la Réunion (capitale : Saint-Denis) sont très touristiques. La Guyane est connue
parce qu'il y a un centre spatial de lancement de fusées à Kourou. C'est de là que
la fusée européenne Ariane est lancée.

---

1. Que signifie DOM ? ....

2. Que signifie TOM ? ....

3. Sur une carte du monde, situez les DOM. À votre avis, pourquoi les DOM sont touristiques ?

....

....

4. Où se trouve Kourou ? Pourquoi c'est une ville connue ?

....

....

....

Souvenirs d'enfance

Vocabulaire

1 **Barrez l'intrus.**

1. la mer – la plage – le bateau – la tartine – le parasol

2. un palais – une couleur – un immeuble – une cabane – un appartement

3. une table – une glace – un gâteau – un fruit – de la crème

4. une carte bleue – une tartine – la confiture – le pain – le café

5. le souvenir – le passé – le ballon – l'enfance – les racines

2 **Trouvez le verbe qui correspond à chaque définition.**

1. Parler très fort, c'est ....

2. Ouvrir les yeux le matin, c'est ....

3. Donner de l'argent pour acheter quelque chose, c'est .... de l'argent.

4. Parler du passé, c'est .... du passé.

5. Faire un jeu, c'est .... à quelque chose.

3 **Retrouvez les manières de dire.**

1. Il faut bien regarder avant de traverser : Il faut .... aux voitures !

2. C'est un bon souvenir : C'était .... !

3. Tu bronzes : Tu prends .... !

4. Ça signifie : Ça ....

4 **Reliez.**

1. Je me souviens   **a.** cinquante euros pour ces chaussures.

2. Il va dépenser   **b.** de la vie !

3. Tu joues   **c.** de mon enfance.

4. Vous criez   **d.** au club de tennis.

5. Faites attention   **e.** au bus !

6. Il faut profiter   **f.** du piano ?

7. Je vais m'inscrire   **g.** trop fort !

Grammaire

5 Complétez le tableau.

infinitif	*être*	....	*jouer*	*se rapprocher*
je (j')	....	*faisais*	....	....
tu	*étais*	*faisais*	....	....
il / elle / on	....	....	....	*se rapprochait*
nous	*étions*	....	*jouions*	....
vous	....	....	....	*vous rapprochiez*
ils / elles	....	*faisaient*	....	....

6 Christiane parle de son présent et de son passé. Complétez.

«Maintenant, j'ai soixante-trois ans, je suis mariée et je suis grand-mère. J'habite près de la mer, dans une grande maison. J'aime jouer avec mes petits-enfants, j'aime aussi faire la cuisine, les confitures. Je ne suis plus très sportive! Pour faire les courses, je prends toujours la voiture!»

«*Mais avant, quand j'avais vingt ans,* ....
....
....
....
....
....
....
....
.... »

7 Complétez avec *ne... pas* **ou** *ne... que*.

1. – Vous désirez un dessert?

– Non merci, je .... prendrai .... de dessert. Je voudrais juste un café s'il vous plaît.

2. Moi, je .... aime .... la mer. Tous les ans, je vais sur la Côte d'Azur.

3. Fais attention! tu .... fais .... des bêtises!

4. Reste ici et surtout, ... fais .... de bêtises!

5. Marion .... aime .... l'avion. Elle prend toujours le train.

8 **Mettez les adjectifs à la bonne place comme dans l'exemple (attention : *des* devient *de* devant un adjectif au pluriel).**

(Belle – rouges) C'était une plage avec des parasols.
→ *C'était une **belle** plage avec des parasols **rouges**.*

1. *(agréable – grands)* C'était une rue avec des arbres.

....

2. *(ouverte – bleue)* Je regardais la mer de ma fenêtre.

....

3. *(petits – grandes)* Les enfants peuvent faire des bêtises.

....

4. *(petite – ensoleillé)* Mes frères jouaient dans une cabane qui se trouvait dans un parc.

....

Phonétique, rythme et intonation

9 🎧 **Écoutez et cochez la phrase que vous entendez.**
1. ❑ Vous voulez garder du vin ?   ❑ Vous voulez la carte des vins ?
2. ❑ Je dépensais beaucoup d'argent.   ❑ Je te pensais encore à Lyon.
3. ❑ On voyait beaucoup de bateaux.   ❑ On voyait beaucoup de châteaux.
4. ❑ Je peux gagner ?   ❑ C'est toi, Hervé ?
5. ❑ Je prenais beaucoup de livres.   ❑ Je prenais tous tes livres.

Civilisation

10 🎧 **Écoutez la présentation du chanteur Michel Jonasz puis cochez la bonne réponse.**

	Vrai	Faux
1. Michel Jonasz est né en 1967.	❑	❑
2. Il est hongrois.	❑	❑
3. Il aime la peinture.	❑	❑
4. Il est chanteur et acteur.	❑	❑
5. Il déteste le jazz.	❑	❑

J'ai fait mes études à Lyon 2

Vocabulaire

1 **Retrouvez les différentes parties d'un ordinateur.**

1. la souris → ....

2. l'imprimante → ....

3. l'écran → ....

4. le clavier → ....

5. la disquette → ....

2 🎧 **Écoutez et complétez les phrases avec les mots que vous entendez.**

1. La semaine ...., j'ai donné mon CV à Monique. Elle l'a regardé ?

2. J'ai obtenu un poste dans une petite .... qui vend des piscines.

3. Je vais faire un .... d'anglais pendant quinze jours pour bien maîtriser la langue.

4. – Vous .... beaucoup ?

– Oui ! J'adore ça !

5. Je ne comprends pas. Tu peux m'........................... l'exercice une deuxième fois, s'il te plaît ?

3 **Complétez avec *quelques* ou *plusieurs*.**

1. Nous avons beaucoup voyagé, c'est pour ça que nous connaissons .... pays.

2. J'ai pris .... affaires, je ne pars que deux jours.

3. J'ai vécu seulement .... mois à Madrid. C'est une ville très intéressante.

4. Il y a .... pays francophones dans le monde, une cinquantaine.

5. J'ai rencontré Martin il y a .... jours, lundi ou mardi dernier.

6. Je connais .... étudiants égyptiens, ils sont nombreux dans mon université.

Grammaire

4 **Mettez les verbes entre parenthèses au passé composé en utilisant l'auxiliaire *avoir*.**

1. – Ça y est ? Vous *(trouver)* .... un stage ?

– Oui, j'*(avoir)* .... beaucoup de chance !

2. – Il *(faire)* .... quel temps hier, chez toi ?

– Oh ! Il *(neiger)* .... toute la journée !

3. – Tu *(naître)* .... à Singapour ?

4. – Vous *(téléphoner)* .... à Catherine ?

– Euh… Non.

5. J'*(habiter)* .... pendant dix ans au Vietnam.

5 **Mettez les verbes entre parenthèses au passé composé en utilisant l'auxiliaire *être*, comme dans l'exemple.**

Les enfants (se réveiller) ***se sont réveillés*** *à six heures hier matin.*

1. Karim et moi, nous *(se rencontrer)* .... au Luxembourg.

2. – Où est Christiane ?

– Elle *(aller)* .... faire des courses. Elle veut profiter des soldes.

3. – Juliette et Léa, vous *(rentrer)* .... à quelle heure ?

– À trois heures pile !

4. Victor Hugo *(naître)* .... en 1802 et est mort en 1885.

5. Claire et Sophie *(se retrouver)* .... à l'aéroport.

6. Tous mes papiers d'identité *(tomber)* .... dans l'eau !

6 **Accordez le participe passé avec le sujet si c'est nécessaire.**

Samedi matin, Cornélia s'est réveillé ..... à 9 h 30. Elle s'est levé ..... un quart d'heure après et elle a pris ..... son petit déjeuner. À 10 h, elle s'est souvenu ..... de son rendez-vous chez le dentiste à 10 h 45. Elle s'est dépêché ...... Elle a pris ..... sa douche et s'est habillé ..... en dix minutes. Elle est parti ..... de chez elle à 10 h 35 et elle est arrivé ..... chez le dentiste à 10 h 43. Elle n'a pas été ..... en retard !

Phonétique, rythme et intonation

7 🎧 **Écoutez et cochez quand vous entendez le son [j].**

	1	2	3	4	5	6	7	8
J'entends [j]								

Civilisation

8 **Lisez ce CV (curriculum vitae) et répondez aux questions.**

RISSIÉ

Alexis   08/04/1979 à Bordeaux

32 rue des Bois   N° SS : 1 79 04 33 063 186 63

60550 Verneuil-en-Halatte   Marié

03 44 35 16 98   Permis B + véhicule personnel

06 71 46 62 46

rissié.m@.free.fr

OBJECTIF : BTS Informatique de gestion option Administrateur de réseaux locaux d'entreprise

Compétences actuelles
- Systèmes d'exploitation :   – Windows *(utilisateur)*
                                – Linux *(initiation)*
- Bureautique :   – Word, Excel
- Internet :   – Navigateur *(Netscape, ie, Mozilla)*
                                – Moteur de recherche *(Google, Netscape, etc.)*
- Montage photo numérique *(initiation)*

Expériences professionnelles
- Septembre 2002 à juin 2004 : Conducteur de ligne de production automatisée à l'usine de
                                Kaysersberg Packaging à Saint-Just-en-Chaussée
- Juillet 1998 à août 2002 :   SICGENC à Nogent-sur-Oise (Piscine intercommunale)

Formations
- Agent de médiation et de prévention auprès du public : accueillir, informer et orienter le public
- Septembre 2002 à juin 2004 : Bac professionnel option PSPA en alternance à l'AFORP de
                                Senlis (60)
- Septembre 1998 à juin 1999 : BNSSA *(Brevet National de Sécurité et de Sauvetage Aquatique)* à
                                Nogent-sur-Oise (60)
- Septembre 1995 à juin 1997 : BEP et CAP électrotechnique *(formation initiale)* au lycée Marie
                                Curie à Nogent-sur-Oise (60)

Divers
- Pratique du rugby depuis 1994
- Pratique du golf depuis 2001

---

1. Quels renseignements apparaissent sur un CV ?

....

2. La SS (Sécurité sociale), c'est

❑ l'assurance pour la voiture   ❑ l'assurance pour les maladies

3. À votre avis, pourquoi parle-t-on de ses loisirs dans un CV ?

....

4. Met-on les mêmes renseignements sur un CV dans votre pays ? ....

....

Retour des Antilles

Vocabulaire

1 **Barrez l'intrus.**

1. le paradis – un rêve – une flèche – idéal

2. un vélo – un aéroport – un séjour – le soleil

3. une dame – un cousin – un oncle – une tante

4. un aéroport – une personne – un avion – un billet

5. sympa – libre – agréable – charmant

2 **Retrouvez des manières de dire.**

1. C'était très bien, comme dans un rêve : c'était ....

2. Bien sûr : Bien ....

3. Mon frère est plus âgé que moi : c'est mon ....

3 **Que dites-vous dans ces situations ? Reliez.**

1. Vous ne croyez pas quelque chose qui est vrai.   **a.** Alors, tes premières impressions ?

2. Vous voulez aller dans la mer.   **b.** Quelle vue superbe !

3. Vous attendez un ami à l'aéroport, il arrive.   **c.** C'est extraordinaire !

4. Vous gagnez 20 000 euros.   **d.** Je suis content(e) de te revoir !

5. Un ami revient du pôle Nord.   **e.** j'ai envie de nager.

6. Vous voyez la mer et la montagne de votre fenêtre.   **f.** C'est une belle somme !

Grammaire

4 **Faites des phrases au passé composé comme dans l'exemple.**

Pendant les vacances, Paul et Julia aller à la plage/bronzer au soleil/beaucoup nager.

→ Pendant les vacances, Paul et Julia sont allés à la plage, ils ont bronzé au soleil et ont beaucoup nagé.

1. L'année dernière, Dany gagner à un jeu/aller à la Martinique/se promener/revoir sa famille.

....

....

2. Julie passer son bac / aller en Angleterre pendant un an / rentrer en France.

....

....

3. Pierre et Jean aller à la plage / jouer au ballon / bronzer au soleil / nager.

....

....

5 **Récrivez les phrases en remplaçant** *nous* **par** *on.*

1. Avant, pour aller à Toulouse, nous changions une fois ; maintenant, c'est bien, c'est direct.

....

2. Tu te souviens, nous mangions toujours la confiture sur les tartines avant de manger le pain !

....

3. Tous les vendredis, nous déjeunions chez nos grands-parents. C'était la fête !

....

4. Pendant notre séjour à Barcelone, nous commencions la journée avec un excellent petit déjeuner.

....

6 **Remettez les expressions à l'imparfait dans le texte.**

a. Son sac était au bureau avec ses clés !   **d.** *Il commençait à pleuvoir, il faisait froid.*

b. Elle ne tombait pas très fort.   **e.** Il y avait trop de gens dans le bus.

c. Quelques personnes attendaient.   **f.** elle avait chaud.

Ce soir, Louise est sortie du bureau à 18 heures, comme tous les jours. *Il commençait à pleuvoir, il faisait froid.* Elle a couru jusqu'à l'arrêt de bus. ....

.... Cinq minutes après, le bus est arrivé. Les portes se sont ouvertes,

mais Louise n'est pas montée : ....

Elle a préféré rentrer à pied. Elle a relevé le col de son blouson, elle a mis les mains dans ses

poches et elle est partie sous la pluie. ....

Elle a marché vite ; cinq minutes après, ...

Une demi-heure plus tard, elle est arrivée devant chez elle, mais impossible d'entrer : ....

....

7 **Répondez aux questions comme dans l'exemple.**

Après le voyage aux Antilles, vous avez encore voyagé? (ne... plus)
→ *Non, nous n'avons **plus** voyagé.*

1. Ludovic a habité longtemps au Brésil ? *(ne... pas)*

....

2. Vous avez mangé quelque chose pendant le voyage ? *(ne… rien)*

....

3. Tu as rencontré Sophie et Claire à la plage ? *(ne… personne)*

....

4. Aurélia a toujours habité à Paris ? *(ne… jamais)*

....

5. Après cette histoire, vous avez reparlé à vos voisins ? *(ne… plus)*

....

8 **Remettez les phrases en ordre.**

1. blanche. – était – et – chatte – Scarly – petite – une – noire

....

2. avait – y – ronde. – Dans – une – le – grande – bureau, – il – table

....

3. ici ! – première – que – C'est – je – personne – la – sympa – rencontre

....

Phonétique, rythme et intonation

9 🎧 **Écoutez et cochez la phrase que vous entendez.**
1. ❑ Il a plu pendant deux heures.   ❑ Il a vendu toutes les fleurs.
2. ❑ C'est une belle rue.   ❑ C'est une belle vue.
3. ❑ Vous avez une sœur ?   ❑ Vous avez eu peur ?
4. ❑ Il est tout à fait mûr.   ❑ Il est tout à fait sûr.

Civilisation

10 **Cochez la bonne réponse.**

	Vrai	Faux
1. La Jamaïque est un DOM.	❑	❑
2. Il y a beaucoup d'Antillais en France.	❑	❑
3. Le français est la langue officielle en Guadeloupe et en Martinique.	❑	❑
4. Le créole, c'est un plat antillais.	❑	❑
5. Le zouk est une musique antillaise.	❑	❑

Au voleur! au voleur!

Vocabulaire

1 **Barrez l'intrus.**

1. un voyage – un appareil photo – des souvenirs – un blouson

2. la police – un commissariat – une porte – un vol

3. les genoux – un sac – la tête – le dos

4. s'asseoir – marcher – sauter – courir

2 **Reliez. Que dites-vous dans ces situations?**

1. Vous proposez à un ami de prendre un verre.
2. Vous ne retrouvez plus vos affaires.
3. Vous voulez ranger la cuisine.
4. Vous appelez un serveur dans un restaurant.
5. Vous demandez à quelqu'un d'attendre un peu.

a. Allez! On y va! Tu m'aides?
b. On va prendre quelque chose?
c. Je suis à vous dans deux minutes.
d. S'il vous plaît!
e. Ce n'est pas possible!

3 **Écoutez et complétez avec les mots que vous entendez.**

1. Si tu vas dehors, il faut mettre ton ....

2. Zut! J'ai laissé mon .... dans la voiture!

3. Vous voulez bien ouvrir la .... s'il vous plaît?

4. Mais qu'est-ce qui .... ? Pourquoi il n'y a personne ici?

5. Émilien a pris .... son blouson; il a laissé son sac à la maison.

Grammaire

4 **Conjuguez les verbes entre parenthèses au passé composé ou à l'imparfait.**

1. Anne *(avoir)* .... encore beaucoup de travail; c'est pour ça qu'elle *(partir)* .... très tard de son bureau.

2. Antoine *(voir)* .... une jeune femme, elle *(avoir)* .... le même blouson que lui.

3. – Pourquoi Mathieu *(aller)* .... au commissariat cet après-midi?

– Parce qu'on lui *(voler)* .... sa voiture!

4. – Vous avez vu l'heure ?! Mais où est-ce que vous *(être)* .... ?

– Il *(faire)* .... un temps superbe et nous *(être)* ....

un peu fatigués, alors nous *(prendre)* .... un verre à la terrasse d'un café.

– La prochaine fois, téléphonez-moi !

5 **Reliez.**

1. Je n'ai mangé
2. Lucien n'est pas allé aux Antilles
3. Nous n'avons pas mangé
4. Sébastien ne peut décrire
5. Véronique et son mari ne sont allés aux Antilles
6. Je ne peux pas décrire

a. qu'une seule fois.
b. que les vêtements du voleur.
c. le voleur : je ne l'ai pas vu.
d. d'entrée : nous n'avions pas très faim.
e. parce qu'il n'aime pas la chaleur.
f. qu'une entrée. J'ai encore faim !

6 **Choisissez la bonne réponse comme dans l'exemple.**

Tu veux manger quelque chose ?
☑ *Je ne veux rien, merci.*   ❏ *Si, une pomme.*   ❏ *Oui, quelqu'un.*

1. Ça ne va pas, madame ?
❏ Oui, oui, tout va bien, merci.   ❏ Si, si tout va bien, merci.   ❏ Si, tout le monde est là.

2. Vous dînez encore ?
❏ Non, nous ne dînons pas.   ❏ Non, nous ne dînons plus.   ❏ Non, rien.

3. Quelqu'un est venu ?
❏ Je n'ai rien vu.   ❏ Je n'ai pas vu.   ❏ Non, je n'ai vu personne.

4. Tu n'es jamais allée à Londres ?
❏ Non, jamais.   ❏ Je ne vais plus à Londres.   ❏ Oui, trois fois.

7 **Reliez.**

1. Pourquoi tu pleures ?
2. Vous venez quand ?
3. Les haricots, c'est combien le kilo ?
4. Emmanuelle, c'est qui ?
5. Et maintenant, vous allez où ?
6. Qu'est-ce que tu fais ?

a. 2 euros 80.
b. Au cinéma.
c. Parce que j'ai tout perdu.
d. Du bateau avec Paul...
e. Le mois prochain.
f. Ma nouvelle amie.

Phonétique, rythme et intonation

8 🎧 **Écoutez et cochez la bonne case.**

	1	2	3	4	5	6	7	8	9	10
J'entends [ɔ̃] comme dans *rond*										
J'entends [ɛ̃] comme dans *pain*										
J'entends [ɑ̃] comme dans *quand*										

Civilisation

9 **Regardez le document ci-dessous et répondez aux questions.**

EN CAS DE VOL, COMMENT FAIRE BLOQUER MA LIGNE ET MON MOBILE ?

MOBILE VOLÉ MOBILE BLOQUÉ
WWW.AFOM.FR/VOL

EN CAS DE VOL, JE FAIS BLOQUER MA LIGNE ET MON MOBILE.

1. J'appelle immédiatement le service client de mon opérateur.

- Il suspendra ma ligne même si mon mobile était allumé au moment du vol (suspension immédiate de ma ligne dans les conditions prévues par le contrat opérateur).

2. Je porte plainte.

- Je dépose plainte au service de police ou de gendarmerie le plus proche.

- Je lui indique le numéro IMEI de mon mobile volé.

3. J'envoie une copie du procès-verbal de la plainte au service client de mon opérateur.

- Le blocage de mon mobile sera effectif sur les trois réseaux : Bouygues Telecom, Orange et SFR.

4. Si j'ai souscrit une assurance,

- Je fais rapidement une déclaration de vol à mon assureur.

1. Quels sont les différents partenaires qui ont écrit ce document en plus de la Police nationale et de la Gendarmerie nationale ? ....

....

2. À votre avis, dans quels endroits peut-on avoir ce document ? ....

....

3. Selon vous, pourquoi donne-t-on ces conseils ? ....

....

4. Y a-t-il les mêmes problèmes dans votre pays ? ....

Se déplacer en ville

(Voir leçon 8)

La rue

1 **Regardez les dessins puis complétez les phrases.**

feu	*carrefour*	*trottoir*	*passage piétons*	*rond-point*	*parking*

1. Le .... est rouge ; les voitures s'arrêtent.

2. Je gare ma voiture dans un ....

3. Pour traverser la rue, Sandrine prend le ....

4. C'est mieux de marcher sur le ....

5. Un ...., ce n'est pas carré !

6. Il y a souvent des feux à un ....

2 **Regardez le plan… et entourez les bonnes réponses.**

1. Dans une ville, il y a **des rues** – des autoroutes – **des boulevards** – **des avenues**.

2. Une impasse, c'est **une petite rue qui s'arrête** – une place – une grande rue.

3. Un passage, c'est **un rond-point** – **une petite rue** – une impasse.

4. La place d'Italie est un carrefour – **un rond-point**.

5. Le parc de Choisy est **à l'angle de** – **au croisement de** – **au bout de** – la rue C. Moureu et de la rue du Dr Magnan.

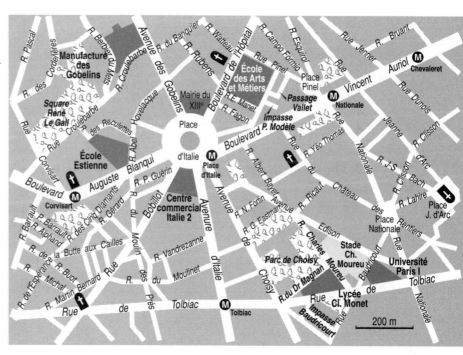

3 **Soulignez les erreurs et corrigez-les comme dans l'exemple.**

Vous êtes à la station de métro Tolbiac et vous allez à l'école des Arts et Métiers.
Vous continuez l'avenue d'Italie jusqu'à <u>la place Nationale</u> *(la place d'Italie), vous tournez à droite dans le boulevard Vincent Auriol, vous tombez sur la place Pinel, vous tournez* <u>à droite</u> *(à gauche) et vous remontez la rue Pinel.*

1. **Vous êtes devant la mairie du 13ᵉ et vous allez au stade C. Moureu.**
Vous allez tout droit jusqu'à la place d'Italie, vous prenez en face l'avenue de Choisy et vous continuez jusqu'à la première à droite. Vous allez toujours à gauche et vous tombez sur le stade.

....

....

2. **Vous êtes rue de Tolbiac, devant le lycée C. Monet et vous allez à la station Nationale.**
Vous prenez la deuxième à droite, vous continuez tout droit jusqu'à la place Nationale ; là, vous tournez à gauche et vous remontez toujours tout droit la rue Nationale. Au rond-point de la rue et du boulevard, il y a la station de métro. ....

....

4 **Faites votre itinéraire.**

1. **Vous êtes place Nationale et vous allez au parking du centre commercial Italie 2.**

Je prends la rue du Château, je continue tout droit jusqu'à ....

....

....

2. **Vous êtes au stade C. Moureu et vous allez chez un ami qui habite passage Vallet.**

....

....

....

Les bâtiments

5 **Reliez.**

1. Pour acheter un billet de train,   **a.** Je vais dans les magasins.

2. Pour prendre un verre,   **b.** Je vais dans un jardin public.

3. Pour voir une expo,   **c.** Je vais à la gare.

4. Pour me reposer au soleil,   **d.** Je m'assois à une terrasse de café.

5. Pour envoyer des cartes postales,   **e.** Je vais à la poste.

6. Pour faire des achats,   **f.** Je vais au musée.

Faire les courses – la cuisine

(Voir leçons 9, 10, 11 et 12)

Faire les courses

1 **Reliez.**

On peut faire les courses…

1. au supermarché ou à l'hypermarché.

2. au marché.

3. chez un commerçant.
(dans un commerce spécialisé)

4. chez l'épicier.

a.

b.

c.

d.

2 **Placez sous le bon dessin les expressions suivantes :**

un litre de lait – des carottes – trois bouteilles d'eau minérale – une boîte de sardines – un pot de confiture de fraises – un paquet de bonbons – dix tranches de saucisson – un morceau de gruyère

S'il vous plaît, je voudrais…

8 ....

1 ....

6 ....

3 ....

2 ....

7 ....

5 ....

4 ....

EXERCICES DE VOCABULAIRE

3 **Reliez. Chez quel commerçant vous allez pour acheter...**

1. de la viande ?
2. du pain et des croissants ?
3. du poisson ?
4. des timbres ?
5. du fromage ?
6. du vin ?
7. des pâtes et une boîte de sardines ?

a. au bureau de tabac
b. chez le caviste.
c. chez le boucher.
d. chez l'épicier.
e. chez le boulanger.
f. chez le poissonnier.
g. chez le fromager.

4 **Complétez le dialogue avec les expressions suivantes :** *Je voudrais – en tout, ça fait – Et avec ça ? – C'est tout, merci. – Ce n'est pas cher ! – Bonjour ma petite dame ! – le kilo ?*

LE VENDEUR : À qui le tour ?

SONIA : C'est à moi, je crois.

LE VENDEUR : .... ! Qu'est-ce qu'il vous faut ?

SONIA : .... des poireaux, s'il vous plaît.

LE VENDEUR : Oui, combien ?

SONIA : Euh... deux kilos.

LE VENDEUR : Voilà. .... ?

SONIA : Donnez-moi un kilo de pommes de terre, deux salades et un kilo de tomates.

LE VENDEUR : Vous voulez des haricots verts ?

SONIA : C'est combien .... ?

LE VENDEUR : 1 euro 70. Ils sont excellents.

SONIA : Oh ! .... ! Alors, je vais prendre deux kilos de haricots verts.

LE VENDEUR : Vous voulez autre chose ?

SONIA : Non. ....

LE VENDEUR : Alors... deux kilos de poireaux, un kilo de pommes de terre, les tomates et les haricots verts, ... 9 euros 85.

SONIA : Voilà. Au revoir, monsieur.

La cuisine

5 **Observez les dessins suivants et complétez les phrases.**

assiette   fourchette   plat   tasse   casserole
passoire   saladier   couteau   poêle   cuillère

1. On coupe la viande avec un ....

2. Je fais cuire les pâtes dans une .... pleine d'eau salée.

3. Mets la salade dans un ....

4. J'aime bien prendre le café dans une ....

5. Quand les pâtes sont cuites, je verse la casserole dans une ....

6. La ...., c'est très bien pour faire cuire les steaks.

7. C'est plus facile de manger de la crème avec une .... !

8. On mange dedans ; c'est une ....

9. Tu veux bien mettre les légumes dans un .... ;
ce sera plus joli sur la table.

10. On met la .... à gauche de l'assiette et le couteau à droite.

S'habiller – acheter des vêtements

(Voir leçon 14)

Les vêtements

1 **Reliez.**

a.

b.

c.

d.

1. une ceinture

2. une veste

3. un chemisier

4. un slip

5. une paire de chaussettes

6. un pull

7. une chemise

8. une paire de gants

e.

f.

g.

h.

2 **Complétez les vignettes avec les expressions suivantes :** *uni, à carreaux, à rayures, à fleurs*

1. C'est un anorak ....

2. C'est un maillot de bain ....

3. C'est un tee-shirt ....

4. C'est une serviette ....

3 **Barrez les intrus.**

Vous prenez des affaires pour partir…

• **à la mer, en été :** un maillot de bain – un anorak – trois tee-shirts – une robe d'été – deux jupes courtes – un manteau – une serviette – cinq pulls – deux chemises à manches courtes – des bottes

• **à la montagne en hiver :** deux pantalons d'été – un anorak – cinq paires de chaussettes – une veste chaude – un maillot de bain – une chemise à manches longues – deux pulls – une paire de gants

Essayer des vêtements dans un magasin

4 **Complétez le dialogue avec les expressions suivantes :** *du 38 – à manches longues – cabines d'essayage – un peu trop grand – les modèles – à motifs – en 36 – essayer*

LA VENDEUSE : Bonjour madame ; vous désirez ?

CYRIELLE : Je cherche un chemisier.

LA VENDEUSE : Uni ou à motifs ?

CYRIELLE : Plutôt ....

LA VENDEUSE : Oui, dans quels coloris ?

CYRIELLE : Euh… quelque chose de gai : orange, jaune.

LA VENDEUSE : À manches courtes ou ....

CYRIELLE : Je préférerais à manches longues.

LA VENDEUSE : Vous faites quelle taille ?

CYRIELLE : ....

LA VENDEUSE : Je vous montre .... en 38

CYRIELLE : Oh! J'aime beaucoup ce modèle avec des rayures ; je peux l'......................................?

LA VENDEUSE : Bien sûr! Vous trouverez les .... au fond du magasin.

LA VENDEUSE : Alors? Ça vous va comment?

CYRIELLE : Euh… C'est ...., non?

LA VENDEUSE : Oui, effectivement. Je vais regarder si j'ai le même modèle ....

Mais la couleur vous va très bien !... Ah! Vous n'avez pas de chance! Je n'ai plus ce modèle dans votre taille. Revenez la semaine prochaine, je l'aurai peut-être.

CYRIELLE : Tant pis! Ce n'est pas très grave. Au revoir madame.

5 **Entourez la ou les proposition(s) possible(s).**
1. Je *mets – m'habille – porte* une jupe longue pour la fête de demain.
2. Il *s'habille – met – est* toujours en pantalon, été comme hiver.
3. Monsieur, vous *avez – portez – faites* quelle pointure?
4. Vous faites *du – en – le* 36?
5. J'ai trop chaud! Je vais *me changer – m'habiller – essayer* ; je vais mettre un tee-shirt.

Se loger

(Voir leçons 12 et 13)

1 **Replacez les objets dans la pièce qui convient.**

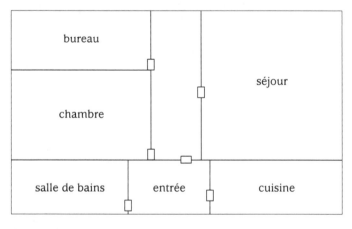

1. Dans l'entrée, je mets ....

2. Dans la chambre, il y a ....

3. Dans le bureau, je range ....

4. Dans la cuisine, il y a ....

5. Dans le séjour, je mets ....

6. Dans la salle de bains, il y a ....

EXERCICES DE VOCABULAIRE

2 **Replacez les mots suivants dans les phrases :** *boîte aux lettres – balcon – propriétaire – clés.*

1. J'ai acheté un appartement à la montagne, je suis ....

2. Le soir, avant de prendre l'ascenseur, je regarde dans la ....
pour voir s'il y a du courrier.

3. J'ai besoin de mes .... pour ouvrir la porte d'entrée.

4. Il fait beau ; on mange sur le .... ?

Le mobilier

3 **Reliez.**

a.

b.

c.

1. un tableau

2. un tapis

3. une étagère

4. un réfrigérateur (un frigo)

5. un fauteuil

6. un évier

d.

e.

f.

Voyager – faire du tourisme
(Voir leçons 7, 15, 23)

Les bagages

1 **Reliez.**

a.

b.

c.

1. un sac à dos

2. un sac à main

3. une trousse de toilette

4. une valise

5. un appareil photo

6. un sac de voyage

d.

e.

f.

2 **Complétez. Quel bagage prenez-vous ?**

une valise, un sac à dos, un sac de voyage, un sac à main

1. Je vais marcher dans la montagne pendant une semaine ; un sac de voyage, ce n'est pas très pratique ; je vais prendre ....

2. Paula prend beaucoup d'affaires et elle reste à l'hôtel deux semaines ; elle préfère mettre ses habits dans ....

3. Sébastien part quatre jours à Bordeaux ; il ne prend que deux pantalons, trois chemises, deux tee-shirts, des slips et des chaussettes. Il met ses affaires dans ....

4. Lucie va au cinéma ; après, elle retrouve Nina au restaurant. Elle a seulement besoin d'.. .

Où dormir en voyage ?

3 **Dites à quelles vignettes correspondent les textes suivants.**

3. « Bonjour monsieur. Je voudrais réserver une chambre avec salle de bains pour deux personnes pour cette nuit. C'est possible ? »

c.

2. Georges et Sylviane n'ont pas d'enfants. Tous les ans, pour les vacances, ils prennent leur caravane et ils vont au « Camping de la Plage », près de La Rochelle. Ils y retrouvent leurs amis et jouent à la pétanque ou aux cartes.

a.

b.

1. Pour les vacances, Pascale et Alain n'aiment pas rester au même endroit. Ils n'ont pas beaucoup d'argent, ils préfèrent faire du camping. Ils ont acheté une petite tente à deux places.

Les loisirs

(Voir leçons 3, 5, 14, 16 et 21)

La télévision, la lecture, les jeux

1 🎧 **Écoutez les phrases et cochez la bonne case.**

	1	2	3	4	5	6	7	8
On parle de la télévision.								
On parle des livres (la lecture).								
On parle des jeux.								

2 **Complétez le dialogue avec les expressions suivantes (vous pouvez vous aider du dictionnaire) :** *met – le programme – changer – une émission de variétés – quelle chaîne – un documentaire.*

– J'ai vu ce film au moins trois fois ! Tu ne voudrais pas .... de chaîne s'il te plaît ?

– Tu veux .... ? La une, la deux, la trois ?

– Je ne sais pas ; je ne connais pas ....

– Il y a .... sur les serpents sur FR3 et .... sur France 2 avec Michel Jonasz et Charles Aznavour.

– J'aime bien ces chanteurs. On .... la deux ?

– Si tu veux.

3 **Associez chaque phrase avec la vignette correspondante.**

1. « Mon roman préféré, c'est *Les Misérables* de Victor Hugo. J'adore cet écrivain ! »

2. « Moi, je lis plus souvent les magazines d'actualité que les journaux. »

3. « J'ai tous les Tintin et tous les Astérix. J'adore les BD. »

4. « J'ai lu un article sur la loi sur les 35 heures dans le journal. »

a. Sonia ....   **b.** Mathieu ....   **c.** Bérénice ....   **d.** Thomas ....

4 **Barrez l'intrus.**

1. une émission – un film – une discothèque – une chaîne

2. jouer – gagner – perdre – se promener

3. une page – un ordinateur – un roman – un livre

4. la règle du jeu – un ballon – le journal – les finalistes

Le bricolage, le jardinage

5 **Reliez (vous pouvez vous aider du dictionnaire).**

a.

b.

c.

d.

1. un clou

2. un râteau

3. une brouette

4. un marteau

5. une scie

6. un arrosoir

7. une bêche

8. un tournevis

e.

f.

g.

h.

6 **Classez les mots de l'exercice 5, comme dans l'exemple.**

Pour bricoler : *un marteau*, ...

....

Pour jardiner : *un arrosoir*, ...

....

Sortir

7 **Cochez la bonne case.**

	Vrai	Faux
1. Je prends mon maillot de bain pour aller à la piscine.	❏	❏
2. Joseph va voir un film au théâtre.	❏	❏
3. Marc et Sylvia vont au commissariat le soir.	❏	❏
4. Il y a des tableaux et des statues dans un musée.	❏	❏
5. Julie va manger à la discothèque.	❏	❏

8 **Complétez avec *faire* ou *jouer*.**

1. Arthur et Lucie .... aux échecs.

2. – Tu aimes le sport ?

– Oui. Je .... du tennis et du basket. J'aime bien courir aussi.

3. Moi, je .... de la natation tous les week-ends.

4. – Vous .... aux cartes ?

– Oui, on aime bien les jeux de cartes.

5. Anaïs .... du violon depuis quatre ans. Elle prend ses cours au conservatoire.

6. – Tu .... au tennis avec moi ?

– Oui, si tu me donnes une raquette.

Table des matières

N° d'éditeur : 10177164 - Dépôt légal : février 2011
Achevé d'imprimer en France sur les presses de JOUVE. Mayenne - N°636610C